JN319108

モルフェウスの領域

海堂 尊

角川文庫
17956

目次

第一部　凍眠

1．モルフェウス　二〇二二・一〇

4℃に保たれた銀色の棺《ひつぎ》を見守るのが、涼子《りょうこ》の仕事だった。

未来医学探究センター地下一階。涼子は職場をモルフェウスの不夜城と呼ぶ。どう呼ぼうが自由なのは、その職場には涼子しかいなかったからだ。

朝、BGMのCDをかける。選曲はクラシック、お気に入りはショパンだ。CDは一日二回、交換する。それに合わせて、銀の箱に流す教材も変える。朝は語学教材。一週間、ふたつの言語を交互に流し、約半年でひとつの言語を終了する。

今はアフリカ・ノルガ共和国のドゥドゥ語をかけている。教育用のCDを交換し、最初の部分を確認する時に、一瞬冒頭の言語が部屋に流れる。言葉の響きが懐かしい。

昼食後には学術体系に則《のっと》り月曜から金曜まで、さまざまな教養分野が流れる。月曜日は自然科学、火曜日は社会科学、水曜日は文学、木曜日は歴史、金曜日は現代史、そして土日は風俗史、つまり現在進行中の流行《はやり》ものの情報が音声化されて流される。

月曜日は自然科学で、ここ三ヶ月は医学講座だ。施設の性格上、授業用に作成された教育用のDVDは充実している。それを系統立てて午後に五時間流す。

この銀の棺には、こうして現代の知識の粋が流され続ける。箱の外側ではショパンの、軽やかだが荘厳なメロディ・ラインに、単調なポンプ音が入り交じる。

午前中は一階のロビー受付でメール処理をしながら来客に応対する。しかし来客は滅多になく、対外業務の日誌が、涼子の小振りで几帳面《きちょうめん》な文字で埋められることは稀《まれ》だ。

午後になると受付カウンターを閉鎖して、地下室に下りていく。東城《とうじょう》大学医学部から委託された資料の整理がセンターの役割のひとつだ。かつて医学部内に設置されていた医学資料館とカルテ庫の膨大なカルテが、大学の独立行政法人化にともない行き場を失った。資料の置き場に困った大学は、産学協同を申し出た涼子の勤務先、未来医学探究センターにこれ幸いとばかりに資料の保管と整理も押しつけた。

この先、非常勤の涼子の身分が変わる見込みはない。ただでさえ公務員の削減が叫ばれる中、バイト扱いの非常勤が正規職員に昇格する可能性はゼロに近い。だからこそ逆に、涼子さえその気なら、組織が存続する限り彼女の地位は安泰だという確信がある。

委託された膨大な資料の大半はカルテだ。ドイツ語や英語、科によってはフランス語、果てはラテン語など、古今東西の種々雑多な単語が悪筆乱文の叢林《そうりん》を構築している。雑多な過去の資料を辛抱強く整理できる人材など、滅多にいないだろう。加えて驚くほどの薄給だ。任務は煩雑で給料は安い。だから後釜《あとがま》が現れる可能性もまずない。

涼子は、静かな部屋で孤独な生活をおくれる、ただそれだけで幸せだった。そんなわけで涼子は今日もひとりぼっちでゆったり勤務に励んでいる。

――小さい頃は、お父さんの仕事を呪ったものだけど……。

世界中に点在する大使館の出先機関である領事館クラスに食材を供給する企業の、そのまた下請け会社に勤務していた父親は、ひとつの国におよそ二年滞在し、日本の食材供給の窓口になる部門の長を務めた。早くに母親を亡くし、父ひとり娘ひとりの気軽な家族は世界各地を転々とした。孫請けの悲しさで、転勤先はたいてい第三世界の小国で、教科書に載っているような国へは行ったことがない。

父親と不規則に諸国を流浪した涼子は、系統立った教育を受ける機会を失った。だがそれは教養がないこととは違う。セキュリティ・システムからフリーな子どもの特権と、膨大な自由な時間を、領事館の図書室に入り浸ることで涼子は消費していた。

図書室には、雑駁《ざっぱく》な書籍が積まれていた。不思議なものでその比率は、どの領事館でも日本語七、現地の書は三だ。

どうして領事館には必ず図書室があるのか、と尋ねたことがある。すると、うら若いその秘書は書棚から一冊のミステリーを取りだし、埃《ほこり》をはらいながら答えた。

「ここの書物はここの人たちの虚栄心を充《み》たすためだけに揃えられているの。その証拠に、ほら、どの本にも読まれた跡がないでしょう？」

本に視線を落とした瞬間、涼子には異国の地の狭い小部屋に幽閉された書籍たちの悲鳴が聞こえた気がした。そしてその時、一冊でも多くの本を解放したいと思った。

以来、涼子はどこへ行っても、まず領事館の図書室に入り浸った。そして涼子が図書室の本を読み尽くす頃、父親は異動した。涼子親子が領事館を去る時、図書室は安堵《あんど》の吐息をつき、再び長い眠りにつく。そんな錯覚を、涼子は覚えていた。

今では涼子は十数ヶ国語に対応できる。領事館の図書室で現地の書籍を眺め、街角で日常会話に耳を澄ませていると、いつの間にかその国の言語を習得してしまうのだ。それってひょっとしたら特技かもしれない、と自分で認識したのは中学生の頃だ。その頃涼子は、領事館の人間はほとんど現地語を嗜《たしな》まないという事実に気づいていた。

涼子はかつては父親の職業を呪ったが、今では感謝している。語学という特技がなかったら、この就職口も手に入らなかった。日本にいたら引っ込み思案な涼子は競争社会からはじかれ、自分の武器を手にできなかっただろう。よかった、と呟《つぶや》こうとして、言葉を呑《の》み込み周囲を見回す。そして自分の挙動をくすくす笑う。

誰に気遣っているのだろう。この地下室には涼子の他には誰もいないのに。

孤独に耐えられるのは強者だ。そして強者は往々にして、俗世からは変人扱いされる。涼子は地下室でひとり、単純な作業に没頭する。一日中、誰とも顔を合わせない日が続く。正確に言えば、地下室にはもうひとり住人がいる。彼はこの宮殿の主《あるじ》でもあった。いや、それどころではない。この建物が彼のために造られたといってもいい。

だが、彼は本当に主なのだろうか。むしろ……。

彼と言葉は交わせないし、彼が涼子と同じ風景を見ることもない。

その瞳《ひとみ》は閉ざされ、呼吸は止まり、心臓も拍動していない。

死体なのか？　いや、違う。

涼子は銀の棺を撫《な》で、アクリルの窓を覗《のぞ》き込む。

半透明なその窓からは、銀の棺の中で眠る少年の横顔がぼんやりと見える。

モルフェウス。眠りを司《つかさど》る神。

そう名付けられた少年は、人工的に構築された眠りの中をたゆたっている。

そして本当は神のはずなのに、彼はシステムの囚人だった。


毎朝、涼子はアクリル窓の向こうの『モルフェウス』の横顔の輪郭を指でなぞる。彼の長い髪は、羊水の海にたゆたっている。そして、その彼を維持するため、毎日百前後、週になると大小取り混ぜて七百近い項目について、涼子は淡々とチェックし続ける。

涼子は白いカレンダーを見上げる。その明日の日付に、赤い丸がついている。

二〇一二年十月十日。涼子の意識からその日付が消えたことはない。明日からは、いよいよ『モルフェウス』の資料に取りかかる。就職して二年。それは運命だ、と自分に言い聞かせる。

正式名称・未来医学探究センター。一般にはコールドスリープ・センターの方が通りがよい。設置は二〇一〇年四月、涼子が非常勤として着任したのは同年十月だ。

就職が決まり、ここに案内してくれた直属の上司は霞《かすみ》が関《せき》からの兼任で出向してきていた。涼子を地下室に案内すると、何度も腕時計を見ながら、せわしない口調で言った。

「メディア取材も一段落したから、安定運営に移行しようということでキミのようなバイト、あ、いや、非常勤を雇うことにしたわけだけどね。君もこの就職難の中、ラッキーだったねえ」

ハンバーガー屋のバイトより低い時給という労働条件を射止めたことがラッキーなのか。涼子は、唇の端に笑みを浮かべる。上司は涼子の表情にはおかまいなしに続けた。

「ここの資料は整理を委託されているが、我々の本業かと問われればいささか疑念もあり、書類整理に関しては本省でも議論がわかれてる。キミの立場として望ましいのは生かさぬよう殺さぬよう、あ、いや、そうじゃなくて遅れず休まず仕事せず、という我々官僚の基本姿勢から一歩もはみ出さずに、適度な進行でやってくれるとありがたいということだ。私は形式的にはこちらに出向しているが、本省の仕事があり、そちらに精力を傾注しないとまずい。だからこちらの方は、できるだけキミに任せたい」

言葉を切った上司は、狡《ずる》そうな眼の光を浮かべ、つけ加える。

「もちろん作業する以上、責任はとってもらうが、そこさえ納得できれば、ここはキミの城だよ。私みたいな国民の下僕からみると羨《うらや》ましい限りだ」

それなら、自分でやればいいのにと、初顔合わせの上司を見ながら、考える。だが、そんな批判は表には出さない。だから誰一人、涼子の本心には気づかない。

上司は大仰に腕時計を見る。

「お、いかん、五分後に次のアポがあるんだ。もう行かなくては」

去り際に振り返ると、ひとことつけ加えた。

「一番大切な説明を忘れてた。適当でもいいのは、委託された資料整理だけだ。財団の本来の目的、『スリーパー』の維持・管理は厳密にやって欲しい。そのためにキミのように語学堪能《たんのう》で、医学の素養がある有能な人材を探し求めていたのだからね」

ウソつきね。たまたま応募してきた人材が語学に堪能だったからこれ幸いとカルテ整理と保管という雑事まで押しつけたクセに。

涼子は、今度ははっきりと笑う。最後に上司はぽろりと本音をこぼした。

「それにしてもラッキーだな。こんな条件で住み込み業務を受けてくれるなんて……」

涼子に聞かせるつもりのないひとりごとなのだろう。その証拠に言葉の語尾は、涼子の許へ届かなかった。涼子は呟く。本当にラッキーなのはあなた。社会保険庁が潰《つぶ》れたタイミングで、見かけだけは立派なこんな組織に天下りできたのだから。


これが二年前、二〇一〇年十月のことだ。当初、上司の来所は週に一度だったが、やがて月一度になり、二月に一度、そして最近四ヶ月はまったく顔を見せていない。

そんな上司はひとつだけ、納得できることを言った。

涼子はここでは、たったひとりの女王だ、ということ。そして今、その女王の寵愛《ちょうあい》は、アクリルの窓越しの『モルフェウス』の横顔に注がれていた。

混沌《こんとん》とした書類の山が切り崩され、一部分が整地されている。涼子が処理した書類の山と、その中からモルフェウスに関連する部分だけよりわけた、都合ふたつの山だ。

東城大医学部の百年を超える資料の一部。最近五年に集中して涼子は整理をした。あれから二年半が経ち、準備は整った。

〝眠り〟は折り返し地点に達し、目覚めに向かい時計が動き出す。

五年分の資料整理に二年弱。それが時間がかかりすぎかどうかの判断は人によるだろう。ただしこの資料の山すべてをどのくらいで処理できるかと問えば、誰もが自分の生涯では無理だと即答するに違いない。対象は百年を超える資料だから、五年分を二年で処理したペースで計算すれば都合四十年以上。その勘定は人々の直感と合致する。

五年分の整理済み資料のうち、いよいよモルフェウスの領域に取りかかる。密《ひそ》かな興奮を抑え、午後のCDに交換する。流れ出したのは涼子のお気に入りのスケルツォだ。

書棚から分厚いマニュアルを取りだす。今日から業務がひとつ増える。涼子は付箋《ふせん》をつけた箇所を丹念に三回読み返して立ち上がる。銀の棺に歩み寄り、温度調節のダイヤルをひねり、コンマ一度上昇させた。すべてはマニュアル通りだ。

患者の個人情報の取り扱いは、ここ数年で格段に厳しくなった。涼子は、書類の整理にあたり本名を使用せず、対象をモルフェウスと呼ぶことにした。これは倫理委員会の要請でもある。ただし、かように詩的な呼称を用いなくてはならない、と指示されているわけではない。

カルテをスキャンに掛け一ページずつ電子化しながら、同時に読みこなす。サバンナの草を端から丁寧に食べていくインパラのように、涼子はカルテをゆっくり咀嚼《そしゃく》する。

モルフェウスは五歳の時東城大学医学部付属病院小児科に入院した。その疾患名は網《もう》膜芽腫《まくがしゅ》（レティノブラストーマ）。入院二週間後に右眼摘出術を受ける。以上が入院サマリーに記載されている記述のすべてだ。手術の日付を見て、涼子は呟く。

——クリスマスの翌日に手術だなんて、かわいそうに。

感情と無関係に涼子の手は動き、電子化は進んでいく。

術後十日で退院。手術数日前に手術を嫌がり暴れたという看護記述がある。五歳の子どもに眼球摘出がどれほど恐ろしいか、想像もつかない。手術の日付を見て、涼子は強い感情に揺さぶられる。

その直前にオープンしたショッピングモール・チェリーが大火災を起こしている。

脳裏をフラッシュする劫火《ごうか》。左手首を右手で握る。銀のブレスレットに隠されたケロイド痕《こん》を指先で触れる。

気を取り直し、検査データの整理に取りかかる。撮影されたMRI画像やCT画像の量は膨大だ。ここまでの画像診断は必要なのか。自分の医療イメージと、モルフェウスに行なわれた医療の間に、深い溝がある。涼子は、ぽつんと呟《つぶや》いた。

——五歳のレティノって、本当にあるのかしら。

涼子が医学知識を持っているのには理由がある。中学生の頃、アフリカのノルガ共和国に滞在したことがあった。その時、領事館付の医務官から医学のレクチャーを受けていたのだ。それは、帰国後、大学生の涼子が独学できるくらい、しっかりしたものだった。

医務官は退屈していた。四十歳前後。図書室で居眠りばかりしていた。中学生の涼子が読書に没頭していると、隣に来て涼子が読む本にあれこれ文句を言う。だが、読むのをやめろ、とは言わなかった。吐く息はいつもアルコール臭かった。

ある日、涼子が医学書を読んでいると、医務官はその本を取り上げた。

「やめとけ。コイツはヤブだ」

奥付を見ると、著者は帝華《ていか》大の教授だ。中学生の涼子でさえ、日本のトップの大学が帝華大であることくらいは知っていた。涼子が抗議をすると医務官は舌打ちをした。

「これだからガキってヤツは……」

医務官は肩をすくめて姿を消した。やがて戻ってくると、薄い本を涼子に手渡した。

「それを読め。終わったら次の本を選んでやる。わからないところがあったら聞け」

高飛車な言い方に、涼子はむっとしたが、父親とふたり暮らしで知識を与えてくれる、先生のような他人に出会ったことがなかった。なので不愉快さよりも好奇心が勝った。

手渡されたのは『外科学概論』というタイトルの薄い本だった。

「どうして、こんな難しい本を？」

ぱらぱらと本をめくった涼子が尋ねると、医務官は面倒くさそうに言葉を放り出した。

「お前は親父に引き回され、あちこちの国を渡り歩くんだろ。だったらいつ、どんな目に遭うかわからない。そんなとき外科の知識は役に立つ。自分で治せる怪我なら自分で治せるし、たとえ治せなくても、怪我の程度が認識できるだけで気が楽になる」

医務官はポケットから取りだした小瓶を一気にあおった。立ち上がると、火酒の臭いを撒《ま》き散らしながら図書室を出ていく。

その日から、涼子への個人授業が始まった。それはおよそ半年間、断続的に続いた。

口は悪いが親切だった。妥協しないが、涼子の無理解も責めなかった。

「しょうがないさ、中坊だもの」というのが口癖だった。

必要最小限の知識しか与えてくれなかった。涼子が、興味を持った領域を、より深く学ぼうとすると、「それは枝葉《なじ》だ」のひとことで話題を切った。

「なんで、この先を教えてくれないの」

ある日涼子は医務官を詰った。医務官は火酒を飲み干し答えた。

「ムダだからさ」

「それならどうして、いろいろなことを教えてくれるの」

「必要だからさ」

「言ってること、めちゃくちゃだわ。中学生だからってバカにしないでください」

初めて声を荒らげた。医務官は驚いた顔をした。しばらく黙り込んでいたが、やがて小声でぼそりと言った。

「ち、だからガキとは関わりたくないんだよ」

それから医務官は静かに言った。

「お前が俺から聞こうとした深い知識ってヤツは、戦場で生き残るには役に立たない」

「戦場？　ここが戦場ですって？」

自分の両肘《りょうひじ》を抱いて、周囲を見回す。

アフリカ大陸の片隅の小さな領事館。時間が止まったような部屋の天井では、風車のような扇風機だけがゆっくり回り、熱い空気を攪拌《かくはん》している。

そこでゆったり消費されているのは、平穏で退屈な日々だった。

涼子がそう応じると、医務官は唇を歪《ゆが》めた。

「中坊だからって甘えるな。新聞くらい読んでおけ。自分の身を守るためだ」

医務官は涼子の瞳《ひとみ》の奥を覗《のぞ》き込む。そのまなざしの強さに思わず目を伏せる。

医務官は、涼子を凝視したまま続けた。

「二週間前、人民解放ゲリラが政府軍に対して宣戦布告をした。だからもうじきこの国は内戦状態になる……かもしれない」

一瞬、涼子の細面に怯《おび》えの色が走る。医務官は首を左右にこきこきと鳴らし、続けた。

「ま、ならないかもしれない。熱帯の人間は根気がないからな。これまでも反政府ゲリラが独立を宣言したのに結局なにも起こらなかったことは何回もあった。今回もまた、狼が出たってヤツかもな。そもそも今の政府軍も三年前はゲリラだったたんだし」

ほっとする涼子に、医務官はぼそりと言う。

「……だが、今回は違うかもしれない」

医務官は続けた。

「お前が聞いた半端な知識は、平和な日本に戻ったら自分で学ぶことができる。今お前に必要なのは、戦場で生き抜くために必要な最低限の知識だ。それを全部教えるには時間が足りない。全然足りないんだ。だから黙って言うとおりにしろ」

傲慢《ごうまん》な言葉の裏側に、涼子を思う気持ちが見え隠れしていた。

それ以後、涼子に対する医務官の口調は、少しだけ優しくなった。そして、涼子の心の底にわだかまっていた医務官に対する反感は少しだけ、その目盛りを減らした。


回想にふけっていた涼子は、気持ちをモルフェウスに引き戻し、作業を再開する。

退院後、年四回の定期診断が続けられた。モルフェウスにとって平穏な日々が続いたことが、簡略なカルテから読み取れる。次にカルテ記載が増えるのは四年後。

レティノが再発したのだ。それも残された隻眼、左眼の中に。

涼子はため息をついた。

このままでは両眼が摘出され、モルフェウスは全盲になってしまう。だがカルテはそこで途絶する。涼子は銀の棺に視線を転じた。ここから先はカルテではなく、他の分野の資料整理に移った方が理解しやすい。涼子はメディア情報の密林に足を踏み入れる。新聞記事や雑誌記事を時系列に並べ替え、ファイルに綴《と》じ込んだだけ。だが、それだけで物事は格段に理解しやすくなる。初めのページに新聞の大見出しが躍る。

『時限立法・人体特殊凍眠法、今夕通常国会で成立へ』

涼子は記事を取りだし、電子化した後に読み始める。

「特殊疾病に対し治療法が二年以内に確立されるという情報がある場合、疾病の進行を遅らせる目的で人工冬眠を選択したいという患者団体らが、人体特殊凍眠法（通称コールドスリープ法）の成立を訴えていた問題で、厚生労働省作業部会、及び両院国会に設置された厚生労働問題特別委員会の与野党合意が形成、時限立法が今夕の本会議で可決される。これにより世界初の『コールドスリープ』が実施される見通しとなった」

涼子は記事を読み、感心する。モルフェウスの個人情報はどこにも見あたらない。涼子も当時、このニュースは聞きかじっていたが、改めて検討し直してみると情報統制はかくも厳密に行なわれていた。

そんなことになったのには理由がある。事前に、ある識者からの提言があったのだ。

その提言者は、医学者でも哲学者でも、まして社会学者や法律家でもなかった。

「ゲーム理論の若き覇者、マサチューセッツ工科大学、曾根崎伸一郎《そねざきしんいちろう》教授、ねえ」

涼子は雑誌記事を眺めて呟《つぶや》く。論争の舞台に颯爽と踊り出てきたのは、アカデミズムの世界ではステルス・シンイチロウと呼ばれる、メディアへの露出を厭《いと》う若きゲーム理論学者だった。その理論展開は従来の学問体系や法体系を根底から破壊するドラスティックなものだという。

当時のニュース解説者の談話が鮮やかに蘇《よみがえ》る。

オピニオン雑誌に緊急投稿された提言を読み通す。短文であるにもかかわらず、その後多くの識者が反駁《はんばく》しようと試みたものの、誰ひとり叶《かな》わなかった完成度を誇るものだ。その提言による理論武装があったからこそ、迅速に法律が成立したとも言える。

声に出して、見出しを読み上げる。

「緊急提言、凍眠原則の確立を急げ」

論文の冒頭には、枠に囲まれた箇条書きの提言が並ぶ。

一項　凍眠は本人の意志によってのみ決定される。

二項　凍眠選択者の公民権、市民権に関しては、凍眠中はこれを停止する。

三項　第二項に付随し、凍眠選択者の個人情報は国家の管理統制下に置く。

四項　凍眠選択者は覚醒《かくせい》後、一月の猶予期間を経て、いずれかを選択する。以前の自分と連続した生活。もしくは他人としての新たな生活。
五項　凍眠選択者が過去と別の属性を選択した場合、以前の属性は凍眠開始時に遡《さかのぼ》り死亡宣告される。
六項　以前と連続性を持つ属性に復帰した場合、凍眠事実の社会への公開を要す。
七項　凍眠選択者は凍眠中に起こった事象を中立的に知る権利を有する。
八項　その際、入手可能な情報がすべて提供される。この特権は猶予期間内に限定される。

以上が曾根崎教授が提唱した『凍眠八則』いわゆる『モルフェウス・プリンシプル』だ。コールドスリープのことを〝凍眠〟と表現した曾根崎教授の造語が社会に広がるのに、さほど時間は要しなかった。教授は凍眠が現実味を帯びた今、原則の確立こそ重要と主張する。彼は凍眠の選択者を「スリーパー」と名付け、その社会的な在り方や人権制限について論じたのだ。

特にスリーパーの人権制限に言及した第五項及び六項に当初は賛否両論が入り乱れた。結局、なぜそのような項目設定が必要かということも含め、曾根崎教授はすべての疑問や抗議に明快に回答したため、一ヶ月もするとそのロジックを覆せる者は言論界には、もう誰もいなかった。

曾根崎教授は言う。

「日本人の特性として同質性に親和性が高い点が挙げられる。裏返せばこれは、異質なものに対する過度の攻撃性である。こうした閉鎖社会における異質分子への攻撃性は、『イジメ』と表現される。凍眠を選択すれば、同世代の仲間は社会的年齢を加える。これは同質社会の攻撃性を誘起する条件を充《み》たす。このためスリーパーは別人格で社会復帰することが望ましい。ただしこれは基本的人権に関与する部分であるため、選択はスリーパー本人の自由意志決定権に委《ゆだ》ねられるべきであるが、その際には社会が異質の存在を内包するため、そのことへの対応が必要となる」

一見すると過激だが、何度読み返しても論理構築に無駄や無理は認められない。だからこそ無意味な空理空論をスキップできたのだ。この論文の功績は大きい。

そのおかげで今、涼子とモルフェウスはこの宮殿にいるのだから。

『凍眠八則』の呪縛《じゅばく》力はすさまじかった。ふつうならワイドショーや週刊誌の好奇の目に晒《さら》されるニュースになるはず。だが、かろうじてこの提言に先行したニュースだけが、対象者が関東近県に在住する小学校中学年の男の子で疾患は眼領域であることを報じていた。直後に発表された『凍眠八則』により、その記事は現在は図書館でも閲覧不可になっている。涼子の手元に残されている記事は、その時に関係者が切り抜いたものだ。このように涼子の手元にはモルフェウスの情報が濃密に集積していた。

それを読み解きながら、思い出す。父親に連れられて、その国の領事館を訪れた瞬間。

図書室に駆け込んで、その空気を胸一杯に吸いこむときのときめき。いつも涼子の前には、未知の海原が広がっていた。

他人が見れば、図書室に引きこもる内気な少女に見えただろう。だが、涼子は思う。

――外で動き回る人だって、本当に世界を見ているわけじゃない。

紙上の虚数空間も、それを認知した時点で、実世界になるのだ。


曾根崎論文の後半を読み始める。前半は爽快《そうかい》だが、後半になると不協和音が混じり、読み続けていると体調によっては、眩暈《めまい》と吐き気を覚えることさえある。

「スリーパーが以前と連続した人格を選択した場合、その事実は本人が広く公知させる必要がある。さもないと社会規範が崩れる。社会は一般常識を土台に構築され、非常識の排斥により、その骨格が保たれる。スリーパーが一般市民の眼前に出現すれば、そこに五年前の友人の姿を認めることになる。こうした事態は通常は起こりえず、一般人のパニックを誘起するだろう。凍眠中の時空喪失は、年齢の相違という形で表面化し、たとえば同級生同士で婚姻を結ぼうとしても不可能になるが、これは現行の法体系の大きな齟齬《そご》によって露《あら》わになる事象であり、その解消は、スリーパー本人の領域で是正すべきである。だが凍眠の事実を限定的に伝えることができたとしても、すべての関係者への通知は不可能である。したがって人格を継続するスリーパーは、自ら情報を政府機関に委託し、政府はその情報をアクセス・フリーで国民に提供する必要がある」

まるで犯罪者扱いだわ、と憤慨する。だが曾根崎論文は、そんな涼子の感情すらも、センチメンタリズムのひとことでばっさりと切り捨てる。

「こうした対応に人権侵害との声が上がることが予想されるが、個人の人権が制限されることも現実にはありうる。犯罪処罰の次元と異なるので配慮は必要だが、問題を惹起《じゃっき》したのは本人の選択である。以前と連続性を維持したいという個人的欲求が周囲の一般常識を破壊するのであれば、リスクが事前通告されている以上、多少の人権制限はやむを得ない。憐憫《れんびん》の情をもよおすのは容易だが新たな問題が生じた時、そうしたセンチメンタルな擁護者は起こりうる最悪の事態に対し責任を取る覚悟はあるのか。そうでなければこの枠組みを事前に設定し、スリーパーに選択肢を提示しておくことは社会体制維持のために必須《ひっす》である」

最後まで読み、ため息をつく。はいはい、わかりましたと答えるまで止むことがない、完膚無きまでの論理展開。ふと曾根崎教授は妻帯者だろうか、もしそうだとしたらこんな人の妻が務まる女性はどんな人だろう、と興味が湧いた。

曾根崎論文を読んでしまうと、その他の凡百の切り抜きを読んでも新しい知見も知的刺激も得られない。どれも曾根崎論文の劣化コピーか、もしくは細部に対する粘着質な攻撃ばかりだ。

そんな風に論壇的に無風状態を演出する中、厚生労働省主導の下、『時限立法・人体特殊凍眠法』が議員立法としては異例のスピードで、第百七十八回通常国会で成立したのだった。

続いて涼子が手にしたのは、人工凍眠の新技術の論文だ。従来の凍眠技術が確立しなかった理由が説明されていた。従来の手法は永続凍眠を目指したから、うまくいかなかったというのがその主旨だった。

合弁会社、ヒプノス社が構築した新技術の発想は、まったく異なっていた。パンフレットにはこう謳《うた》われている。

「わが社の使命は、目覚めたい時代にあなたをお連れすることです。凍眠を永遠に続けたい方には葬儀会社のアドレスを。目覚めたい方にはヒプノス社のコールナンバーを」

人を食ったコピーだがそれは、従来の技術の盲点を言い当てていた。ヒプノス社の技術は、最長五年の凍眠の実施法だ。永続を前提にした技術と比べれば、確立すべき技術負荷は十分の一で済む。慣性飛行法に似た発想で、たとえばボールを投げると放物線を描く。十メートル先にボールを届かせたければ、五メートル地点で最大の高度になるように設定してやる。あとは時空間が反転し、対称的な軌跡が勝手にボールを目的地まで届けてくれる。

ヒプノス社の技術のコアは、凍眠設定時間の半分の時点で、もっとも深い眠りになるようにプログラム設定する、というものだ。最深部に到達するまではゆるやかに眠りの階段を下りていく。そして最深部に到達したら今度はゆっくりと階段を上る。

ゆっくり、さらにゆっくり。

時の流れを緩めると、部屋は自然に凍えていく。

法律が成立してから一月後、桜宮《さくらのみや》の片隅でモルフェウスが眠りの宮殿の玉座についた。その日から昨日で二年半。その人工凍眠は、ヒプノス社の技術による最長期間である五年に設定されていた。だから今日、十月十日はその眠りが折り返し点に到達し、最も深部にたどり着いた日だ。これから毎日、冬が春へ向かうように、涼子が起動する幾多のプログラムの組み合わせにより、銀の棺に眠るモルフェウスは目覚めていくことだろう。

ゆっくりと、ゆっくりと。

その傍らで、日時計の観測員のように、涼子はその横顔を見つめている。

祝いごとは重なる。涼子は新聞を銀の棺に載せた。科学面の小さな囲み記事だった。

「網膜芽腫《もうまくがしゅ》に対する転移抑制薬『サイクロピアン・ライオン』、日本で申請へ」

彼はこのニュースを待ち、この宮殿の奥深く、戻れる保証のない深い眠りに就いた。今すぐ起こし、教えてあげたい。涼子は焦燥に駆られるが、それは叶《かな》わぬ望みだ。深い眠りからの復帰は一気にはいかない。それは深海からの浮上に似ている。急浮上すれば、圧力差から体内にエア・エンボリ（空気塞栓《そくせん》）が発生し、潜水病に冒される。小さな気泡は時として人を死に至らしめる。深い眠りから急速浮上すれば、見果てぬ夢の微小塞栓がこころに発生してしまうかもしれない。

だから、涼子はニュースを肌に沁《し》みこませるようにゆっくり伝えようと決める。
今日はここまで。
誰もいない部屋で、誰に言うともなく、涼子は呟《つぶや》いた。そして若やいだ気持ちになる。
明日《あした》はいよいよ、モルフェウスの声を聞ける。

夢を見た。過去の映像クリップのようだが、おそらく実体験だ。自分の体験なのに、〝おそらく〟などという留保をつけたのは、最近涼子の記憶の輪郭が溶けて、本当にあったことか、それとも自身が改竄《かいざん》した意識なのか、区別がつかなくなっていたからだ。モルフェウスへの意識がふたりの境界線を徐々に侵食し始めていた。

どうしてそういうことになったのかは覚えていないが、涼子は医務官とふたりきりで、地元のバザールをそぞろ歩いていた。言葉に対する感覚が鋭敏な涼子は、ノルガ共和国にきて一年半で、喧噪《けんそう》の半分を聞き取れるようになっていた。その中途半端さが、雑音《ノイズ》混じりのラジオのように涼子を苛立《いらだ》たせた。熱帯の陽射しとゆったりした時の流れの中、涼子の焦燥は形を喪《うしな》い溶けていく。涼子と医務官は、熱いフライパンの上のバターのように、かろうじて輪郭を保ちながら、人混みの中をゆらめいている。
その時、背後でざわめきが起こった。

振り返ると数人の大人が少年を抱えていた。

涼子は目を背けた。少年の右足首から下が吹き飛ばされていたからだ。地雷を踏んだのだろう。叫び声と共に、大勢の大人の手によって、担架に乗せられた少年はバザールの真ん中に運び込まれた。

その様子を眺めていた医務官は、ため息をついた。

「ち、ツイてねえなあ」

呟きを涼子に残し、口々にわめきたてる群衆の輪の中にわけ入っていく。

「酒を持ってこい」

日本語で怒鳴る医務官に、群衆は口々に何かをわめきたてる。涼子が後追いで、群衆に入り込むと、現地の言葉で叫んだ。

「この人、医者だよ。お酒を持ってきて、今すぐ、ここにあるの全部」

その言葉に群衆は静まりかえった。その静寂の中、医務官はズボンのベルトをはずす。バックルの音をカチャリと鳴らし、そのベルトを少年の右足のふくらはぎに回し、思い切り締め上げる。

そこへ人の輪の間から何本か酒が届けられた。医務官はその一本を空にかざした。空の色のように青い瓶の口を開け、一口含むと、失われた右足首に霧のように吹きかける。青ざめた少年の顔が苦痛に歪《ゆが》む。

立て続けに吹きかけると、残りわずかなボトルを、少年の口に押し込んだ。

「これでぴったりだ。飲み干せ」

日本語がわかるはずもないが、少年は懸命に酒を飲み干した。医務官のレクチャーを受けていた涼子には、それがアルコールを麻酔薬代わりにしようという意図だとわかった。医務官は自分のポケットを探り、銀のハサミのような形をした器具を取り出す。止血に使う道具、ペアンだ。医務官は銀のペアンを陽にかざし、口に含んだ最後の酒を吹きかけた。酒の霧雨の中、ペアンに虹《にじ》が舞い降りる。次の瞬間、銀色のペアンが少年の足首に食い付き、いつの間にか手にしていた細い糸が白い蛇のようにうねる。緊張に満ちた静寂が場を覆う。

やがて医務官は顔を上げると、群衆の中から青ざめた涼子の顔を拾い上げ、安心させるように、うっすらと笑う。

次の瞬間、足首から噴き出た血はぴたりと止まった。

息を呑《の》んで見守っていた群衆から安堵《あんど》の吐息が漏れた。医務官はゆらりと立ち上がる。

「これでよし。すぐに市民病院へ連れていけ」

そして少年の枕元に並んだ酒のボトルの中から無造作に一本取り上げ、高く掲げる。

「こいつはもらっていく。治療代だ」

まばらにわき上がった拍手を背に、医務官と涼子は人垣をかき分け退場した。目の前をふらふらした足取りで歩く医務官の背中を、涼子は誇らしげに見つめていた。

目が覚めた。上半身を起こし周囲を見回す。闇に包まれるや、枕元の目覚まし時計の長針に塗られた蛍光塗料だけが、黄緑色の弱々しい光を放っている。

枕元の水差しから透明な水を汲《く》む。

一息で飲み干すと、別れの場面がフラッシュバックする。

涼子親子がノルガ共和国を去ることになった前日。図書室で最後の課題図書を読んでいた涼子は、本のページから顔を上げずに、さりげなく尋ねた。

「先生は何でこんな国に来たの？」

だらしなく椅子に座っていた医務官は火酒をぐびりと飲むと、答えた。

「日本にいられなくなったのさ」

どうして、とは聞けなかった。自分を見つめる涼子に、医務官はへらりと笑う。

「バカ野郎。本気にするな。俺みたいな凄腕《すごうで》なら、どこでもひっぱりだこなんだぞ」

涼子の目には涙がいっぱいに溜《た》まり、今にもこぼれ落ちそうだった。医務官は立ち上がると、涼子の髪をくしゃくしゃと乱した。

「しょうがないなあ。餞別《せんべつ》代わりに教えてやる。俺は自分の名が指し示す運命に従っただけだ」

「自分の名前？」

言われて涼子は、医務官の名前すら知らなかったことに、初めて気づいた。

こんなことってないわ。名前も知らないまま、さよならしようとしていたの、私？

医務官は涼子の肩をぽんと叩《たた》いた。ふらつく足取りで涼子の側を通り抜け、部屋を出ていこうとして立ち止まる。そして静かに言う。

「どうして俺が、大海原を渡り、こんな辺鄙《へんぴ》な大地にやってきたのか。その理由は、俺の名が知っている。お前はその謎を解け。答えがわかったら、またどこかで会えるさ」

背中を向けたまま、そう言い残した医務官は部屋を出ていった。

名前を教えて、という言葉を呑み込み、涼子は何度もうなずいた。

それが涼子に残された医務官の、最後の残像だ。

名前なんて調べようと思えば簡単にわかる。職員だもの。スタッフに聞けば済むわ。

強がって呟いた涼子は、でも、そうしなかった。そんなことをしたら二度と医務官とは会えなくなってしまうような気がした。

なぜか涼子には、いつかどこかで必ず医務官に再会できるという予感がしていた。

涼子は、自分が君臨するモルフェウスの宮殿を見回す。二階の小部屋、当直室に住み込んで二年経つ。静かな部屋に、秒針が時を刻む音だけが響いている。

涼子は自分に言い聞かせる。もう一眠りしよう。目が覚めたら、モルフェウスに会える。

窓から差し込む陽射しで目が覚めた。

大きく伸びをするとベッドから起き、キッチンに向かう。ティーバッグに湯を注ぐ。食パンを焼き、バターの固まりを落とす。バターは融解し黄色い染みになる。さくり、とパンを齧《かじ》ると、涼子は立ち上がりカーテンを開け放つ。

快晴。

真っ青な空に、ひとひらの白い雲。その時、涼子は曾根崎論文の欠落点を見つけた。


はやる心を抑え一階で午前中の雑務をこなす。正午を告げるサイレンが遠くで響くと、涼子は立ち上がる。受付カウンターに業務終了の札を掛け、入口の鍵《かぎ》を掛ける。どうせ訪問者などいないのだが、これも業務責任者としてのけじめだ。

涼子はひとり、地下室へと下りていく。地下室の重い扉を押し開けると、部屋にはメディウムの循環ポンプの低く単調な駆動音だけが、かすかに響いている。

席に着き、マニュアルを熟読する。昨日と同じ手順で、銀の棺の温度をコンマ一度上げた。

モルフェウスは、等張液の海底に眠っている。液体には酸素と栄養素が溶け込んで、希釈されたメディウムはモル比がリンパ液と同じに設定されているので、浸透圧差が生じない。母胎内で羊水に包まれて眠る胎児のように、モルフェウスは静かに眠っている。

生命維持で重要なのはホメオスタシスだ。恒常性の維持という概念、それは今日あるものを明日《あした》も同様に維持しようとする意志であり、それこそが生命の本質だ。そのため何かが減ればそれを増やし、増えたものは減らす圧力を掛ける。単純明快で天《あま》の邪鬼《じゃく》なシステム設計だ。

涼子は棺を覗《のぞ》き込む。

モルフェウスは私の中で眠る赤ちゃんだ。

長い間、書類の山の頂上に置きっぱなしにしていたDVDを取り上げる。うっすら積もった埃《ほこり》をウェットティッシュでぬぐうと、しばらくじっと見つめていた。やがてPCに挿入すると、モニタが一瞬暗転する。次の瞬間、セピアがかったモノクロの映像が立ち上がる。

この部屋が映り、そして部屋の中を不安げな表情で歩いている少年が、映し出される。涼子は息を呑む。初めて会った、幼い顔立ちのモルフェウス。

コールドスリープの間も成長は続いているのだろうか。

そういえば週に一度投与される特別アンプルの成分に、成長ホルモンなど数種の生体ホルモンが混入されていた気もする。

画面のモルフェウスは、あちこちを見て回る。隣の女性は母親なのだろうか。やがてモルフェウスが銀の棺を覗き込む。すかさず男の声が響く。

「綺麗《きれい》な箱だろ？　君は明日から五年間、この中で眠るんだよ」

ビデオカメラは涼子の上司の無神経な笑顔をちらりと映す。画面の中のモルフェウスに、一瞬怯《おび》えの光が走った。

撮影者に誘導され、モルフェウスは机の前に座る。それは、今、涼子が座っている席だった。一瞬、涼子はモルフェウスが自分の膝《ひざ》の上に座ったかのような錯覚に囚《とら》われてしまう。

台座に固定されたのか、手ブレ気味のビデオ画面が鮮明になる。画面いっぱいにモルフェウスの笑顔が広がる。机の上に置かれた二体の指人形はハイパーマン・バッカスとシトロン星人ね、と涼子は微笑する。

「佐々木《ささき》君の気持ちを確認したいから、ビデオに向かって話してね。まずは名前と年齢から」

優しげな、だが事務的でもある声に促され、モルフェウスは話し始める。

「佐々木アツシ、九歳です。小学校四年生なのであります」

「アツシ君は、どうしてコールドスリープしたいの？」

モルフェウスはもじもじしながら、うつむく。母親がその肩をそっと押す。

「自分で言わないと、やってもらえないのよ、アッちゃん」

アツシはこくりとうなずき、画面をまっすぐに見据える。

「ええと、僕はレティノザウルスにやられて、五歳の時右目を取っちゃったのでありますけど、今度、左目にも出てきちゃったので、取らなくちゃいけなくなったのであります。そうなったら何にも見えなくなっちゃって、それはいやだから、あと少しで眼の病気を治すお薬ができるって聞いて、お薬が完成するまで眠ってて、目が覚めたらお薬ができていたらおめめを取らなくても済むから、したいのであります」

　隣の母親が小さく拍手をする。男は冷酷に質問をした。

「コールドスリープは、まだ完全じゃない部分もある。ひょっとしたら目が覚めなくなるかもしれないけど、それでもいいのかな？」

　涼子の全身の血が逆流する。――いいわけ、ないでしょう。

　モルフェウスは、しかし涼子の想像をはるかに超えて大人だった。

　男の、無責任にも思える問いかけに、きっぱりとうなずく。

「しなくても、このままだと何も見えなくなるか、死んじゃうかの、どっちかなのであります。それなら今がんばって、スリープしたいのであります」

　声がかすかに震えていた。画面の男性が言った。

「本当にいいんだね。あと目が覚めたらひとつ考えて欲しいことがあるんだ。五年後、アッシ君には今のままのアッシ君でいたいか、他の人になりたいか、どちらかを選んでもらいたい」

「他の人になるのでありますか？　怪人二十面相みたいでありますな。でも、どうして他の人にならなくちゃいけないのでありますか？」

ビデオ撮影係の男性は、画面のこちらから言葉を続ける。

「別人にならなくても構わない。でも目が覚めた時には、アッシ君はどちらかを選ばなくちゃならない、と法律で決められているんだ」

「わかりました、なのであります」

モルフェウスは立ち上がり、敬礼をした。

間違いない。これは時限立法に基づく本人承認の証拠ビデオだ。涼子が諳《そら》んじている条項を完全に充《み》たしている。おそらく、画面のこちら側で応答している上司の手元には分厚いマニュアルが置かれているだろうし、もうじきビデオは終了するはずだ。

それを証明するかのように、ふたりの会話が雑談になっていく。

「ところでアッシ君は、目が覚めたら何がしたい？」

画面の向こう側のモルフェウスが涼子を見つめ、静かに答えた。

「お医者さんになって、レティノザウルスをやっつけるのであります」

まっすぐな視線に、胸が熱くなる。義務を終えほっとしたのか、男は言った。

「アッシ君は勇気があるねえ」

モルフェウスは、カメラを見つめる。次の瞬間、モルフェウスの口から言葉が迸《ほとばし》る。

「アッシは弱虫であります。本当はこわいのであります。眠るのがこわいであります。でも瑞人《みずと》兄ちゃんががんばれって言ったから、がんばるのであります。瑞人兄ちゃんはレティノザウルスに両方のおめめを取られたのであります。だからアッシは大きくなったらお医者さんになって、瑞人兄ちゃんのおめめを治すのであります。だから……」

　興奮した母親が必死の形相で少年を制し、唐突に画面が暗転した。

　瑞人、という名前には聞き覚えがあった。涼子は記憶を確かめるため、モルフェウスのカルテをめくる。やがて瑞人の名をモルフェウスのカルテの中に発見する。

　看護記録に一行だけ、『同室の牧村《まきむら》瑞人と共に帰室』という記載があった。記録者は浜田小夜《はまださよ》。入院した時に同室で、同じ手術を受けた瑞人から、モルフェウスは影響を受けたのだろう。しかもその子は両眼を摘出していた。暗澹《あんたん》とした気分になりながら、カルテを閉じた涼子の心の片隅を、ふと小さな違和感がよぎる。

「……瑞人兄ちゃん？」

　涼子はＤＶＤを見直す。モルフェウスは確かに〝瑞人兄ちゃん〟と呼んでいる。

　涼子はモルフェウスのカルテを見直す。佐々木アツシ、五歳。

　立ち上がると、未整理のカルテの山を探し始める。十分ほどして涼子はお日当てのカルテにたどりつく。牧村瑞人・十四歳、疾患名・レティノブラストーマ（網膜芽腫《もうまくがしゅ》）。

「五歳だってあり得ないのに、十四歳のレティノですって？」

　涼子は瑞人のカルテを確認する。手術記載、両眼摘出術。手術日はモルフェウスと同日。涼子はさらにページを繰る。やがて呆然《ぼうぜん》と顔を上げる。

　カルテには病理検査レポートは存在していなかった。

私は東城大学医学部付属病院の闇に触れたのかもしれない。牧村瑞人は両眼摘出したが病理学的根拠は残されていない。

——あわてることはない。すべての情報はここにあるのだから。

こうして探し続けていけば、いつか必ず真実にめぐりあえるはず。両眼摘出した少年に対して、ブラインドMという呼称をつける。

こうした対応は、地味なことのようでいて実はとても重要だ。昔と違い、患者情報は個人情報として保護対象になるのだから。

気を取り直しパソコンに向かう。ワープロソフトを起動し、見つけたばかりの『凍眠八則』のほころびをメモする。これはモルフェウスを守護する論文になるので業務時間内に行なっても支障はないはずだ。

涼子の決心に寄り添うように、小さなティーカップから湯気が立ち上る。

「日比野《ひびの》レポート」とタイトルを打ち込んで、少し考えて「モルフェウス・レポート」と打ち直す。午後の静かな部屋に、涼子が叩《たた》くひそやかなキーボードの音だけが響き続ける。

「『凍眠八則』と称された曾根崎論文は社会的影響も大きく、論理的完成度の高さゆえに社会に受容されています。けれどもこの八則には一点、検討されていない点がありますす。スリーパーの過去について、です。新生スリーパーには過去が設定されていませんが、過去がない人間は存在しません。米国では司法取引し別人格を選択した際に行なわれると仄聞《そくぶん》しますが、犯罪絡みのシステムを咎《とが》のないスリーパーに強制するのは司法主体に偏りすぎているように思います。曾根崎教授は過去と連続する人格を選択した際、政府主導で開示すべきという暴論を展開しています。これは社会的規範を重視し過ぎています。現実に人工凍眠を選択したスリーパーは覚醒《かくせい》後にいきなり苛《か》酷《こく》な選択に直面します。小学生のスリーパー自身にこうした選択を突きつけるのが果たして、成熟した社会の選択として正しいのでしょうか」

そこまで書いて、涼子はひと口、紅茶をすする。暖かい援軍を頼りに、涼子はさらに険しい山道に足を踏み入れる。

「『凍眠八則』の存在により『時限立法・人体特殊凍眠法』が成立した経緯を国民は熟知していて、かつ、その影響力の大きさから、あたかも『八則』適用が暗黙の同意事項であるように取り扱われていますが、実はこの原則は国民のコンセンサスを得ていません。『八則』は、個人情報保護の観点で優れた対応をしていて、それが初期段階で有効に機能したことは、間違いありません。だからといって、未来の選択においてもそのまま受容されるかどうかは、議論がわかれます。スリーパーの人権を守るか、社会の安寧を優先するかの、市民社会の選択領域になることでしょう。そしてそれを決定できるのは市民社会での合意形成を経てのみなのです」

涼子は小さくため息をつく。あとは自己紹介のお辞儀をしてみせるだけ。

「実は私はサポーターとして日夜スリーパーの傍らで業務に就いています。ですので私の論がスリーパーサイドに偏ることは仕方のないことです。スリーパーの協力者として、具体的に状況を目の当たりにする者として問題提起することは責務と考え、『凍眠八則』の問題点を明らかにし、広く公論を喚起したいため、本論文をアップロードしようと考えたのです」

涼子は書き上げた文章を読み返す。それから、「スリーパーは小学生云々」のくだりを削除する。そして目をつむる。

文章の推敲《すいこう》に午後の時間を割いて、完成させた涼子は、最後にこの論文をアップロードする予定日を二年後、つまりモルフェウスが凍眠から目覚める半年前に設定する。問題提起はタイミングがすべてだ。これから二年間、私はこの論文を抱き、モルフェウスの城に君臨しよう。そして目覚め後の彼の世界を守る。

私はモルフェウスの守護天使だ。

銀の棺に歩み寄る。アクリル製の窓から横顔を見つめる。目覚めまであと二年半。こうしている間にも彼と自分の隔たりは、深淵《しんえん》のように広がっていく。涼子はふと、その距離を縮めたいという自分の願いに気づき、愕然《がくぜん》とする。

もしも、目覚めたモルフェウスが別人格を選択したら、私の気持ちはどこへ行けばいいのだろう。

涼子の脳裏には、アフリカの小国で出会った、野蛮だがまっすぐ心に届く医療の記憶と、今、目の前で繰り広げられている、精緻《せいち》だがどこか遠い世界のできごとのように実感を伴わない最先端医療が、同時に思い起こされる。

一体、どちらが本当の医療なのだろう。

その答えを出せるのは、遠いアフリカの空の下で飲んだくれている医務官か、あるいは冷たい眠りから目覚めた時に、モルフェウスの網膜に映る世界の実相か、そのいずれかなのだろう。

それを見届けるのが私の仕事……。

喉《のど》が渇いた。温かい紅茶が飲みたい。

すい、と立ち上がり、足音もたてずに地下室を去る。几帳面《きちょうめん》な涼子にしては珍しく、室内灯はつけっぱなしだ。

その灯《あか》りが、誰もいなくなった部屋で眠るモルフェウスの棺を煌々《こうこう》と照らしている。

2. インソムニア　二〇一四・一〇

自分の肩書を確認するため、涼子はひきだしをひっくり返し、ようやく一枚の名刺を見つけた。水色に着色したのは、すべてが事務的に推し進められる中でただ一ヶ所、自分の意志を主張できる部分だったからだ。

――未来医学探究センター　専任施設担当官　日比野涼子

名刺の肩書を見ながら、四角四面の字面と、鏡に映る自分の姿が一致しなくて首を傾げる。名前が立派なヤツほど中身はろくでなしだ、という人生訓を中学生の涼子に教えてくれたのは、アフリカの領事館で一緒だった医務官だ。

正式名称・未来医学探究センター、通称コールドスリープ・センターが桜宮市の海岸通りに設置されたのは二〇一〇年四月、そして涼子が非常勤担当官として着任したのは半年後の同年十月のことだ。

着任当日、最初に命じられたのが自分の名刺を作ることだった。霞が関から兼任で出向してきた上司は、涼子が名刺をブルーにしたいと言うと、不思議そうに言った。

「名刺など名前と所属と連絡先が書いてあればいい。色彩などいらないはずだが」

ちらりと腕時計を見る。時間を惜しむが、惜しんだ時間が有効に使われているかどうかは誰も確かめようとしない、そんな男だった。意見を言ったからといって判断を変えさせようという意志があるわけでもない。

上司は続けた。

「ま、百枚で単価が百円違うだけなら、経理は通ると思うがね。キミの名刺だから一任するさ。ただしひとつだけ、約束してほしい。経理が文句をつけてきたらそれに従うこと」

「ありがとうございます」

涼子は呟《つぶや》くように言った。上司は、汗をぬぐい、言う。

「政権交代のせいで、去年から今年にかけて、すべてがしっちゃかめっちゃかになってしまった。これまでの手順を踏んで積み上げたものが全部滅茶苦茶《めちゃくちゃ》になって、素晴らしい自信作が却下され、どうでもいいような幼稚な企画にびっくりするような予算がついたりする。こんな細かい点も、担当者が気にし始めたら通らない。霞が関の慣例は破壊されてしまったんだ」

「たった百円の問題も、ですか？」

上司は薄目を開けて笑う。

「たった百円の問題だからこそ、だ。私たち官僚は細部にこだわる偏執狂的な部分を持ち合わせないと一流と評価されないんだ」

戦後初の本格的な政権交代は、社会に多大な混乱をもたらした。だがそれは発展途上国のバザールで感じた、熱気と活気に似ていた。メリットとデメリットを比べるとどちらが正しいか、当時の涼子には判断がつかなかった。だが、今ならわかる。真実は「世の中はがたがたになった」ように見えた、ということだ。

それは社会にとっては必要なことだった。これまでは、本当はすでに社会はがたがたなのに、そうでないように見せかけていただけなのだから。

すべてが表に出て、ものごとはわかりやすくなった。

隠蔽《いんぺい》された事件が表に出る。どうして事件が起こったか調べると、システムの欠陥《かん》が見つかる。これまでは集団の論理で押し隠せたが、数の論理に支えられた集団は瓦《が》解し、論理が崩壊した。結果、ひとりの声が社会に届くようになる。社会という虚構がすべてに優先されるかのように刷り込まれた私たちにとって、それはたぶんいいことなのだ。少しだけ正気に戻れば、そうした考えこそが最大の虚構で、集団催眠で見せられた夢物語だったのかもしれないと気づくはずだから。

個人を支えるために構築された社会が、個人よりも優位に立ち、個人を圧殺していいはずがない。社会を構築する個人が破壊されれば社会の土台が崩れてしまうなど、自明なことだ。その時社会は担ぎ手を失った御輿《みこし》のように地に墜《お》ちる。人々が集わなくなれば、それはもはや祭りと呼べず、祭りが存在しなければ、御輿の存在意義も消滅する。

涼子は昔の名刺を眺めていたが、パソコンを起動しネットに接続、センターのウェブサイトを立ち上げる。トップページ周りを点検し、訪問者カウンター数をチェックする。八千九百五十二。記録用にエクセルを立ち上げ、昨日の数値が八千九百四十九であると確認し、訪問者の欄に三と打ち込む。動きのないウェブサイトにもこうして日々ひっそりと閲覧者が訪れる。

確かにこの世界は誰かと繋《つな》がっている。

ウェブサイトを立ち上げて四年で、訪問者総数が九千弱という数が多いか少ないか、ということはよくわからない。施設は見学に開放しているが、リアルな施設訪問者数はほぼゼロだ。そう考えるとネット訪問者の数は多い、のかもしれない。ウェブサイト管理者として、訪問者のＩＰアドレスをチェックする。常連ふたり、新参者がひとり。ひとりは毎日のようにウェブサイトを訪問し、時々意見メールも送ってくる。文章の肌触りから想像するに職場を定年退職した男性のように思える。一回だけ、メールの問い合わせに返事をしたら、味を占めたのか一週間に一通はメールしてくるようになった。なので涼子は返信を止めた。だが今朝も、またその男性からのメールが入っていた。

「お久しぶりです。小生、家内と旅行に出ておりまして、先週はメール定期便を休みました。まことに相すみません」

定期的にメールする義務はないから、謝罪は必要ないんですけど。涼子はひとりつっこむ。

「いつも楽しくウェブサイトを拝見しております。相変わらず『ゆりかごの子守歌』欄のうち、〝プリンシプルの問題点〟という項目が文字化けしてます。月二回更新をされているようですがせっかくのメッセージが届かないのはもったいない。小生のパソコンが九八年の古いタイプであることが理由なのかもしれませんが、オールド世代の読者にも未来医学探究センターのメッセージが届くよう、改めてご配慮お願い申し上げます。なお小生のネット環境は初期設定のOSがバージョン4、フォントはオールド明朝、機械のスペックはCPUが……」

涼子は苦笑する。いくら詳しく説明したってムダ。だって私は機械音痴なんだもの。涼子はひそかにその相手を、「水曜日のヤギさん」と名付けていた。この人さえいなければ何の問題もないのに。指先にささった小さな棘《とげ》のように煩わしく思いながらも、久しぶりに届いたメールにほっとしている自分に気づく。このメールがなければ涼子が発信するメッセージは、誰にも読まれていないと言われても否定できない。

そのこころもちは連絡が途絶した宇宙ステーションに取り残された防人《さきもり》に似ている。コンタクトも取れず存在も忘れ去られる。

それでも存在している、といえるのだろうか。

涼子はメーラーを立ち上げ、準備しておいた文章をコピペし、本省の片隅にひっそり棲息《せいそく》しているはずの上司に送る。計ったように三日後の月曜の昼前に、その内容を承諾したというメールが返ってくる。そして四日後の火曜朝、『ゆりかごの子守歌』の最新レポートがアップされる。それを読んで、水曜日のヤギさんがメールをよこす。そうした日々の繰り返し。それは、ゆっくりと時を刻むメトロノームのように正確なリフレインだった。

果たして霞が関の上司は、本当に存在しているのだろうか。涼子のメールに対する返信は、自動返信機能によって代行され、数回会ったことがある上司はすでにこの世から抹消されていたとしても、涼子にはわからない。

ためしに昨晩の食事の献立と感想メールでも発信してみようか。「五穀米の粥《かゆ》に辛子明太子《めんたいこ》、チンゲンサイのとろみあえ、少々塩味に欠けました」というメールに、「ご報告、ご苦労さまです。細部に修正を加えマニュアルを遵守して処理してください」というい つもと同じ返事だったら、どうすればいいのだろう。

涼子は、文字化けしている『ゆりかごの子守歌』の画面をぼんやりと眺めた。続いて一枚の文書を立ち上げる。

「モルフェウス・レポート」というタイトルが目にしみる。静かな部屋に、ひそやかなキーボードの音が響く。書類の保存日時を見ると二年前だ。二年寝かせた自分の文章が、今の自分に突きつけてくるものは、昂揚《こうよう》感か、それとも含羞《がんしゅう》だろうか。

涼子は手首に指先を当て、心臓の鼓動を数える。

十秒で十五回。心拍は九十。ちょっと興奮しているらしい。

文章を読み直す。するとその中の一文がくっきりと浮かび上がってきた。

「スリーパーには過去が設定されていないが、過去がない人間は存在しない」

プリントアウトし、文面を眺める。二年が経過し、当時の熱情が今の自分には眩《まぶ》しくかつ煩わしく映ることに満足する。

初めて文章を書くときは、激情に任せ書きなぐってもかまわないが、それを誰かに手渡すときは、ほどよく冷まさないと受け取る側が火傷《やけど》する。するとスープは、相手の胃の腑《ふ》に落ち着かない。そのことを涼子に教えてくれたのは、あの医務官だった。

紺碧《こんぺき》の空。

アフリカの空は日本とは質が異なる色をしていた。

あれが本当の青空だとしたら、日本には青空なんて存在しない。

原色の空の下、涼子に強い感情を手渡した医務官は、しかし自分の感情を吐露したことなど一度もなかった。むしろ押し隠そうとした感情を涼子は感知し、共鳴し、今でも心の片隅に保存している。


プリントアウトした文章に赤字を入れ、感情を削《そ》ぎ落とす。文章全体にわたり赤線やら赤字やら血の飛沫《ひまつ》が飛び散った痕跡《こんせき》を見直し、ため息をついた。生身の文章が壮絶な外科手術を受け終わり、息も絶え絶えにかろうじて生還できたような気がした。

打ち倒すべき相手は強大で、斯界《しかい》の頂点だ。ならばまず抑制した文章で相手の出方を探ることが優先される。メタモルフォーゼをしなければならない。

涼子がモルフェウス・レポートを書いた理由はただひとつ、『凍眠八則』、別名『プリンシプル』に対するアンチテーゼを解き放つためだ。そもそも『凍眠八則』とは第百七十八回通常国会で成立した『時限立法・人体特殊凍眠法』の根拠になる論文中に呈示された試案であり、提唱者は米国マサチューセッツ工科大学のゲーム理論の大家、曾根崎伸一郎教授だ。それは今や絶対的な権威として日本社会に君臨し、誰も内容を検討しようとさえしない。

涼子がその隙を衝《つ》き、打ち倒そうとしていた『プリンシプル』は、かくも強大な存在だった。当時、論点の中心は第五項及び六項にあるように議論されていたが、それは単なる結果であり本質は前提としてさりげなく呑《の》み込まされた第二項にある、と涼子は解析していた。

『二項　凍眠選択者の公民権、市民権に関しては、凍眠中はこれを停止する』という過激な文言が、なぜかくもあっさり看過されてしまったのか、不思議でならない。たぶんそれは、多くの人にとって人工凍眠が他人事《ひとごと》だったせいだ。加えてその責任財団であるこのセンターの初期対応にも問題があったと思われた。

『時限立法・人体特殊凍眠法（通称コールドスリープ法）』の成立直後、ここにも多数のメディア取材が殺到し、上司が対応した。当時のビデオクリップが残っている。涼子はまだ就職していなかったのでその対応ぶりは後で知ったのだが、それは今の涼子のスタンスとは、とうてい相容《あいい》れるものではない。

メディアは人工凍眠の具現化を国が容認したことに諸手《もろて》を挙げて賛成していた。このため、人工凍眠を実施する者が急増するだろうと、識者は予想した。だが現実はそうならなかった。厚生労働官僚が巧みに同法を骨抜きにし、実施困難にしてしまったからだ。

手始めに厚生労働省はメディア・コントロールを行なった。いつもの手で、モデル事業という名の研究班を立ち上げた。御用学者の巣窟《そうくつ》に湧いたのはお決まりの、倫理を検討する無垢《むく》な少女を装う下品な女装趣味の鈴虫、ホウホウと法律を盾に喋《しゃべ》る慇懃《いんぎん》無礼なフクロウ紳士たち等、いわゆる有識者と呼ばれる連中だ。彼らは、モデル事業の分科会である倫理検討委員会において、人体特殊凍眠法の適用範囲について詳細かつ迂遠《うえん》な議論を行ない続け、その結果、あるクラスターを適用範囲外とした。

なんと彼らは、癌患者を同法の対象から除外してしまったのだ。

厚生労働省管轄の役人、及び検討会の御用学者のロジックは次のようなものだった。

——癌患者は未来の医学を夢見て人工凍眠を選択する。だが五年後、仮に画期的な治療法が確立されていなければ、患者の希望は充《み》たされない。いきおい未来の患者の怒りはシステム構築した行政に向けられる。ならば医療行政としていたずらに法律適用対象者を増やすのでなく、厳正な話し合いの下、適用をコントロールし、将来のリスクを未然に回避することが医療資源の無駄遣いを省く最良の方策である。

検討会のこの答申を受け、優秀な官僚である涼子の上司は、徹底して消極的な対応に終始した。こうして、人工凍眠に対する圧倒的な熱量はいつしか沈静化してしまう。

涼子は週刊誌の記事の切り抜きを読みながら、ため息をつく。

勇者が発見した宝石を、愚者がよってたかって色褪《いろあ》せたビー玉に変えてしまう。

医療技術の進歩を期待し人工凍眠というリスクを冒す患者を対象としたビジネスモデルなので、厚生労働省が諮問した検討会が出した結論に対し、開発元のヒプノス社は猛然と抗議した。それは同時に同法案の延長審議に期待を懸けていた癌患者たちの強い賛同も引き起こした。

だが官僚は決めたことは訂正しない。優秀な彼らは自らの無謬《むびゅう》を微塵《みじん》も疑わないのだ。

半年間、メディアにガス抜きをさせた後、厚生労働省は自らの見解を政府に答申、遣《や》り手の事務次官が閣議決定で通してしまった。こうしてモルフェウスだけが、時限立法の対象症例として残った。結果、時限立法はたったひとりを対象とする法律となり、多くの人々の関心を失った。

眠りの世界でも、現実の社会でも、モルフェウスはひとりぼっちだった。


涼子は文章を添削した通りに打ち直し、骨格標本のように仕上げる。

「曾根崎教授が提唱した『凍眠八則』、いわゆる『プリンシプル』は完成度が高く、広く受容された。だが〈プリンシプル〉にはただ一点、人権的配慮に欠ける部分がある」

二年前の文章の冒頭部分を打ち直した時、涼子はふと思いついてその部分を新規作成した文書にペーストする。さらに、キーボードを叩《たた》いて文章を改変し始めた。

「突然メールする失礼をご容赦ください。先生が提唱された『モルフェウス・プリンシプル』は完成度が高く、社会に広く受容されました。ですが、プリンシプルには一点、問題点があるように思います。気づいた理由は、私がスリーパーの保護者的立場にいるからです。できましたら、以上につきましてご意見をいただきたく、不躾《ぶしつけ》ながらメールを差し上げる次第です。未来医学探究センター　日比野涼子」

涼子は目を閉じ、脳裏で文章を読み直す。初めての相手に出すメールとしては上出来だ。相手がどのようなタイプか、想像もつかない。ただしかつて読み込んだ一連の記事から、曾根崎教授はシャープなスタイリストだという印象を抱いていた。

涼子は書き上げたメールを送信し立ち上がる。

午後二時。モルフェウスの定期回診の時刻だ。

午前九時、午後二時、午後五時の一日三回、銀色の箱を見回るのが、涼子の義務《デューティ》だ。財団との正式な契約書によれば、涼子の業務は施設運営に関わる書類整理もしくは事務連絡に限定されていた。今、涼子が行なっているモルフェウスの維持作業のほとんどは、正規職員である上司の領分だ。その上司は、最初の頃こそは研究所に毎週顔出ししていたが、涼子の真面目な勤務ぶりを確認すると、来訪は次第に間遠になっていき、やがては涼子に自分の業務を丸投げし、滅多《めった》にセンターに顔を出さず、霞が関の片隅に棲《せい》息《そく》し続けている。涼子は正規職員の上司の業務を代行しているのだ。

さぼっても誰も咎《とが》めない業務。けれども涼子はその業務の重要性を心の底から理解していた。これが凍眠対象者の数が増えそうにない、もうひとつの理由だ。

涼子がボランティアで支えている部分の人件費が膨大で、通常の地方自治体には拠出は不可能だ。ひとりの人間を五年の凍眠に沈めるためには、もうひとりを五年間、朝から晩まで丸抱えで雇わなければならない。加えて、最先端の医療装置のメンテナンスやコンピューターシステムの保守管理契約、医療コンサルタントの定期診断の委託など。

ひとりの人間を維持することは、かほどカネのかかる大事業だった。スリーパー一体の維持費だけで地方自治体の一月分の医療関連費が吹っ飛びかねないのだから。

だから厚生労働官僚が、人体特殊凍眠法が現実に非稼働状態になるよう手配することになったのは、当然の帰結だった。彼らの最大の目的は市民の健康や安寧などではなく、彼らが主体的に運用している巨大ファンド、国家予算の健全な運用だったのだから。

「たったひとりの市民の突出した願望を叶《かな》えるために、巨額の国費を投じることは国の原則から逸脱する」

涼子の上司がある日何気なく口にしたその言葉が、涼子に現実を認識させた。彼ら官僚は、国費を潤沢に使い手なずけたメディアを通じ、メッセージを発信し続けた。対象者を限定し、希望者の要望に経済的な枷《かせ》を掛け、可能性を奪い去る。それはいつもの官僚のやり口だった。こうして、霞が関による凍眠封鎖網は完成したのだった。

彼らの論理は、正しい。ただし部分的に、だ。

突出した出費を抑制して生まれたゆとりが、官僚の天下りの原資になっていることを知りながら、メディアはその事実を発信しない。メディアの最大のお得意さまは気まぐれな読者である市民ではなく、記者クラブの維持費をはじめ、もろもろの情報を落としてくれる貴重な情報源である官僚や、宣伝広告費を支払う大口のパトロンだからだ。

官僚にとって次なる危機は、モルフェウス覚醒《かくせい》時のメディア対応だが、それも時限立法自体によって攻略済みだ。たとえば第五項には、スリーパーが復帰後「過去と別の属性を選択した場合、以前の属性は凍眠開始時に溯《さかのぼ》り死亡宣告される」とある。つまり別人の属性を選択した場合には、スリーパーは死亡するので、人工凍眠の実相は社会に発信されなくなる。

また、第六項には「以前と連続性を持つ属性に復帰した場合、凍眠事実の社会への公開を要す」とある。この件に関しては、ただひとりの対象者は未成年だ。すると自らの意思で社会に公開する部分に対し、未成年に対する個人情報保護法が適用される。これで現状のメディアは詳細な報道ができなくなる。仮に、――それは涼子にとって考えるのも厭《いと》われる仮定だが――、仮にスリーパーが目覚めなかった場合は大騒動になるが、その時は「人体特殊凍眠法」の廃止は確実だ。リスクについて微に入り細を穿《うが》ちメディアが検証し、コールドスリープを受ける人は完全にいなくなるからだ。つまりどちらのコースを採っても、この凍眠システムはモルフェウスの目覚めと共に崩壊させられる。

その時には涼子が今、君臨しているこの宮殿も存在価値を失い、自壊するだろう。それはそれで構わない、とは思う。だがここが崩壊すれば、モルフェウスは社会から圧殺されてしまう、と畏《おそ》れた。国家はスリーパーの存在を葬り去ろうとしているのだ。そもそも国家とは本当に在るのだろうか。その実体は、誰も摑《つか》んだことがない蜃気楼《しんきろう》なのではないか。

どうしてこんなことになってしまったのだろう、とため息をつく。

問いの形式をとってはいるが、答えはわかっている。曾根崎教授の『プリンシプル』が論理的に完璧《かんぺき》すぎ、かつ組織保全のためのみに精緻《せいち》に論理を積み上げたため生じた反作用なのだ。その『プリンシプル』を背骨にした法律は、時が経ち、気がつくと組織防衛のために異分子を排斥する方向性だけが強力に起動し始める。

そのことはスリーパー自身、もしくはスリーパーの過去、あるいはその両方を消滅させようという、文章上の傾向からも見て取れた。だから涼子は、目覚めた後のモルフェウスを守るため、『プリンシプル』という檻《おり》を壊さなければならない。

涼子はたったひとりの司令官で、敵は名うての名将だ。

机に座ると、涼子は書棚から分厚い本を取りだし、手順を確認する。該当部分を三度、読み返す。それから銀の棺に歩み寄り、マニュアルの指定通り、温度設定をコンマ一度上昇させる。こうして低体温保存状態のボトムから七度、体温は上昇していた。目覚めは近い。

曇ったアクリル越しに端整な横顔を見つめる。そしてリピートでかけ続けていたマズルカを停めた。その時、透明な窓の向こうからかすかに声がした、ような気がした。

あれはモルフェウスの抗議の声だったのかもしれない。


今日の地下室滞在時間は短い。ステルス・シンイチロウにソナーのピンガーを打った以上、すでに臨戦状態に入ったといえる。あらゆる事態を想定しておかなければ。ただし涼子は、長い時間をかけて、準備をしていた。なので、ひそやかな自信はあった。

一階に戻ると机上のモニタ画面がちかちかと点滅していた。メール着信のサインだ。涼子は机に駆け寄り、メールを開く。

「ディア、リョウコ。コンタクトを嬉《うれ》しく思います。四年前、私が提唱したプリンシプルをたたき台にして、時限法案が可決されたにもかかわらず、その後のコンタクトがなく気にしておりました。プリンシプルの欠損点を発見されたとのこと、内容をお知らせください。S・ソネザキ」

涼子が地下室に滞在していたのは十五分。加えて曾根崎教授が住んでいるボストンは夜中の一時のはず。それでいながら、このレスポンスの迅《はや》さ。

――ステルスというよりも、〝眠らない戦略家《インソムニア・ストラテジスト》〟ね。

眩暈《めまい》がした。椅子に座り、深々と背もたれにもたれかかる。

「さあ、どうしようかな」

相手からのレスが速いからといって、こちらも速く応じる必要はない。こちらは公務員崩れの非常勤職員。対応が鈍いと思ってもらわないとゆくゆくは苦労する。だがそういう枠組みを逸脱した人物なら、そしてその可能性は極めて高いのだが、早急に返事をした方が信頼を得る可能性は高い。涼子は、どちらが得か、測りかねていた。

そうこうするうちに再び画面が点滅した。伸一郎からのメール第二弾だ。

「ディア、リョウコ。あなたの施設のウェブサイトを拝見したところ『ゆりかごの子守歌』のうち、〝プリンシプルの問題点〟欄が文字化けをしています。修正をお勧めします。S・ソネザキ」

涼子はチェックに走る。ウェブサイトのあらゆるセクションに目新しいIPアドレスの逍遥《しょうよう》の跡が刻まれている。時間はトータル三分もかかっていない。涼子は呆然《ぼうぜん》とした。

――こんな短時間で、私のウェブサイトがすべて把握されてしまったの？

曾根崎伸一郎へのコンタクトはまだ早すぎた。涼子は唇を噛《か》む。しかしすぐに思い直す。どれほど準備をしたところで、ステルス・シンイチロウの前ではすべてはあっという間に無効化されてしまっただろう。

それならやっぱり接触は早い方がよかったのよ。

自分に言い聞かせる。その瞬間、無意識にパソコンの電源を切っていた。

――今日は日比野は早退したので、以後のメールは読めません。

こうしないと、シンイチロウの速度にふり落とされてしまう。

霞が関の天下り団体だから反応が遅いのは当たり前。おまけに今日は金曜日、返事が月曜の午後でも、不自然ではない。

気分を変えようと、久しぶりに外出した。週二度の買い出し。食材を買い、小さな袋をふたつ、両手に提げて帰る。涼子は少食だ。ベジタリアンだが厳格ではなく、たまに肉も食べる。なじみのスーパーは野菜の鮮度がいいのでお気に入りだ。ルッコラにパセリ、レタスは緑。赤いトマトに紫の茄子《なす》。オリーブオイルを少々。

買い物籠《かご》を下げて、店内を逍遥していると背後に衝撃を感じた。振り返ると二歳くらいの男の子が、涼子にぶつかり尻餅《しりもち》をついていた。みるみるうちに大きな眼に涙があふれる。泣き声が響きわたると思った瞬間、静かな声がした。

「薫《かおる》ちゃん、泣いちゃダメ。自分からぶつかったんでしょ」

振り返ると声の主は白髪まじりの上品な女性だった。子守を任されている祖母だろう。女性は涼子に謝罪するように頭を下げた。涼子も会釈を返す。

レジで支払いを終えた涼子が、買い物袋に品物を詰めていると、腰のあたりをつんつん、とつつかれた。振り返ると、さっきの男の子が涼子を見上げていた。

ごめんなさい、という言葉に、さっきの謝罪だと気づく。涼子は薄い板チョコを取り出し、男の子に手渡した。隣で買い物袋に食材を詰めている女性が言う。

「そんなこと、困りますわ」

「ちゃんと謝ることができたご褒美です」

男の子は涼子の周りを踊る。

「わーい、チョコレート、チョコレート」

涼子は男の子を見つめ、モルフェウスも、小さい頃はこんな風に無邪気だったのだろうと思う。


宮殿に戻った涼子は、鼻歌を口ずさみながら、茄子を短冊《たんざく》切りにする。まな板の隣に曾根崎教授の緊急提言『凍眠八則』を置き、レシピのように読み解く。記事の見出しをメロディアスに読み上げる。「緊急提言、凍眠原則の確立を急げ」

短文にもかかわらず、識者が試みた反駁《はんばく》はすべて論破された。そして今や権威となっている。逆に言えば、『八則』という理論武装があったから、かくも迅速に法律が成立したのだろう。

論文は、人工凍眠が現実味を帯びた今、原則の確立が重要だとしている。もっともな指摘ではある。曾根崎教授は一般認識のはるか上空をひとり飛翔《ひしょう》する。

コールドスリープを行なう「スリーパー」の社会的存在の在り方と、その人権制限についで先見的に論じた資料を、黙読する。塩揉《しおも》みにした茄子の色が紫に深くなる。

「要はアリバイの問題なんだ」

三年前、レクチャーしてくれた上司の言葉を思い出す。

「君が何か新しいことをやろうとする時は必ずメールで報告をして欲しい。それに対し私が返信して初めて事態が動き出す。この手順を省略してはならない。さもないと私も上司として君を守れなくなる。スピードは多少落ちることになるし、そういう文句をいうヤツも世の中にはたまにいるが、霞が関にはほとんどいない。いたとしても目立ちすぎて、結局駆逐される。だからそんなことをしても、仕方がないのさ」

目の前のソファでふんぞり返っている涼子の上司はさりげなく言い換える。

「こうした新しい組織では、問題が起こった時、責任の所在が不明になることがある。そうした時には君のような弱い立場の人間にとってのデメリットの方が大きくなるものなんだ。だからこうした対応は君自身の身を守るために必要だし、そうしてくれれば私も君の立場を守ってあげられるからね」

うそつき、とうっすら笑う。あなたが守りたいのは、非常勤の部下の私ではなく、あなた自身の霞が関での居場所なんでしょう？　だとしたら、あなたが要求する〝報告〟を残すと不都合だと言いそうだけど。

確認のため、涼子はさりげなく尋ねてみる。

「メールって消去したりすると証拠がなくなったりしますよね。メールした時、プリントアウトして保存しておいた方がいいんですか」

上司はあわてて両手を振る。

「いや、そこまでの必要はない。本省はエコを考えペーパーレスを推進しているから、プリントアウトは必要最小限にするように」

涼子は上司に気づかれないように、そっと笑みを浮かべる。

――ギルティ。

「そういえば先日、東城大の先生がいらして、過去の資料を閲覧していきましたが、その時にはずいぶん本省に対する不満をおっしゃっていました」

興味のなさそうな口調で、上司は聞き返す。

「へえ、どんな？」

「立ち上げたエーアイセンターの件で厚生労働省が公募した科学研究に応募できなかったそうです。過去の実績を裏づけるために、ここに資料を探しにきたんです」

「ふうむ、懐かしい名称と意外な時に遭遇するものだ……」

腕組みをしていた上司がのそりと上半身をもたげる。

「あの案件は医療安全促進課から医政局医事課に移った。ま、センター本体は崩壊したからここができたという曰《いわ》く付きの話だ。ところでその件は報告がなかったようだが」

涼子はひやりとしたがすぐ冷静さを取り戻す。

「東城大のデータ管理に関しては東城大の先生に決定権があるので、私の判断事項ではないという連絡を東城大上層部からいただきましたので、報告しませんでした」

でまかせだ。上司は苦々しげな顔をしたが、すぐに言う。

「そういう場合も今後は連絡するように。ところで資料を見に来たのは何て先生かね？」

「放射線科の島津《しまづ》教授、という方でした」

「島津、島津……ああ、あいつか」

上司はにやりと笑う。

垂らした釣り糸にかすかなアタリあり。涼子は息をひそめ上司の言葉の続きを待つ。

「要はアリバイの問題なのさ。そういえばあの件もそうだったな」

上司は机の上の埃《ほこり》を指先でぬぐって、言う。

「あの時は、我々の意図する研究者に研究費を分配するため、手品を使ったんだ」

「へえ、手品、ですか」

あからさまな興味を示せば、用心深い上司のアラームにひっかかる。涼子は窓の外にぼんやり視線を投げ、雲を眺め、あまり興味がない風を装った。

「聞きたいかね、その手品の種明かしを？」

涼子は、ふと我に返ったという、気のない素振りをする。上司は得々と話し始める。

「仕掛けはウェブサイトにある。我々が何かしら研究費をつける場合、当然、すでに候補者がいる。そして彼らにきちんと研究費がつくようにするのが我々の腕の見せ所だ」

「公募というのは自由競争なのでは？」

「バカだな、君は。自由競争になったらどんな有象無象が応募してくるかわからないだろう。審査にも手間がかかる。最終的に我々官僚が採択するんだから、それならはじめから選んだところだけに応募させれば一番効率がいいわけだ」

なんか違う、と涼子は思うが口に出さない。別のことを言う。

「インサイダー取引みたいですね」

「似たようなものだから、表沙汰《おもてざた》になれば非難されるだろうね。だからこそ公募という形にするんだ。ウェブサイト上で公募されているんだからフェアな競争だと言い張れる」

涼子はうなずいて尋ねる。「なるほど。でも、それのどこが手品なんですか？」

上司はくくっと笑う。

「ウェブサイト上に公募案件は確かにアップされてる。だからアリバイはあるが、応募期間締め切りぎりぎりまで、外部からは見ることができないんだ」

「それは非公開というのでは？」

「内部の手続きの遅滞による不具合だ。だが手続きの履歴は残るから公募をクローズで実施でき、遡《さかのぼ》って検証されても、我々はこの時期から対応しておりましたと国会で言い抜けられる」

過度な賞賛も、正義感をふりかざした非難も、態度としては不正解だ。涼子がうなずくと、上司は一瞬、肩透かしを食った表情をしたが、すぐに話題を忘れ、せかせかと部屋を出ていく。

一年後、涼子がモルフェウスを守る闘いを始める決意と共に、上司のアリバイ話を思い出して行動を開始する。張り子の虎を本物の牙《きば》を持つ虎にするために。

涼子は曾根崎伸一郎に対し、すぐメールの返事をしたいという欲求を抑え、月曜まで返信しなかった。休日も曾根崎教授のメールがないことを確認し、暗澹《あんたん》たる気持ちになる。相手からの問いかけに対する素早い反応。相手の問題点を把握する速さ。問題解決時の妥当な対応。涼子から返信が三日ないことに対する寛容さ。

すべてが一流だ。

水曜日のヤギさんみたいに、思いこんだら歯止めが利かないタイプならつけいる隙もあるのだが。相手は天下のステルス・シンイチロウだ。そんな低レベルのことを期待してはいけない。

メールを受け取り三日後の月曜午後、涼子は返信を打った。

「曾根崎教授。お返事ありがとうございます。素早い回答をちょうだいしながらお返事が遅れて、申し訳ありませんでした。ご指摘の件、さっそく本部と協議しまして、可及的速やかに対応したい所存です。今後ともよろしくお願い申し上げます」

これでいい。これなら無能な公務員の、やる気のないメールに見えるだろう。自分の持ち札をこんなところで消費する必要はない。トランプゲーム・大貧民で、相手の最弱のカード、3に対して切り札のA《エース》を出せば、その場は勝てるがゲームには勝てない。

もうひとつ、新規メールを作成して書きこみながら計算する。本部へ申請すると返事が戻るのに三日。ウェブサイト業者に依頼発注許可に三日。業者の手直しに三日。本部の確認に三日。土日を加えて合計二週間強。これが涼子に残されたアドバンテージだ。

涼子は深呼吸すると、上司への申請メールを発信した。それから書きかけて途中で放置していた曾根崎教授への短い返信メールの最後にさりげなくつけ加える。

「P．S．先生が提唱された『プリンシプル』により成立した法律の恩恵を受けた対象者のサポーターとして、伺いたい点もありますので、時々メールを差し上げてよろしいでしょうか」

メールを送信した涼子は椅子に座り、モルフェウスのビデオを再生しようとする。フォルダを開き、データを選択するとパスワード要求ダイアログが現れる。パスワードを打ち込もうとした時、メールの着信音がした。

涼子は動作をキャンセルし、呟《つぶや》く。

ステルス・シンイチロウの襲来。

速い。速すぎる。

のろのろとメールを開く。そこには一行、簡潔な回答があった。
――いつでもどうぞ。S・ソネザキ
大舞台の幕開けは、いつもさりげない。

それから一週間、涼子と曾根崎教授は濃密なメールのやり取りをした。涼子の問いかけに、曾根崎教授は適切かつ簡潔な回答を返した。テニスの試合で意地悪な球を打ち込んでも打ちやすい場所に正確に返してくるような感じだ。楽勝のはずなのに、気がつくとミスをしそうになっている。

「人権制限を設けるのは不当ではないでしょうか？」という難しい問いかけにも即答だ。

「社会のベースは権利制限から始まる。すべての人が自分の権利を主張すれば、社会は崩壊する」「だからと言って弱い立場のスリーパーが極度の権利制限を受けるのは不当ではありませんか？」「OK、フロイライン、お嬢さん《おじょうさん》ではこう言おう。権利制限には強者も弱者もない。一定比率で支払わなければならない税金だ。翻って凍眠の恩恵を蒙《こうむ》ったことは社会的優位性になる。すると現時点でスリーパーは強者にカテゴライズされ、権利制限が強いシステム作りは妥当になる」

モルフェウスが社会的強者ですって？

違和感が強いその表現は、とうてい受け容《い》れられない。か弱い私の腕の中で眠るモルフェウスが強者であるはずがない。

だがいくら涼子が曾根崎教授の指摘を崩すため論理立てて議論を展開しても、最終地点で彼の指摘が正鵠《せいこく》を得ていることを確認させられてしまう。同じ土俵ではとても敵《かな》いそうにない。

そんなことは織り込み済みだ。何しろ相手はゲーム理論の覇者なのだ。自分ごときが敵うなど、最初から考えていなかった。

――でも相手に油断があれば……。

一撃で曾根崎教授を葬れれば、涼子に、いや涼子とモルフェウスにも活路が見出《みいだ》せるだろう。

幾度かのやり取りで、もはや忍耐は限界に近い。速さは遅さを擬態できるが、逆は難しい。そろそろ曾根崎教授は涼子の反応をいぶかしく思い始めている。

だが、ぎりぎりのタイミングで材料は揃った。一週間の往復メールが七十通に達した時、涼子はそう考えた。

曾根崎教授は何も隠さない。王者の風格。レスが迅《はや》い。メールすると多くは一分以内、遅くとも一時間以内に回答がある。ステルス・シンイチロウのライフスタイルを探るため、意図してさまざまな時間帯にメールを打った。真夜中に研究室に下りてメールをしたこともある。そのすべてに前述通りのレスがあった。対応にも内容にもソツも隙もなかった。

これが世界の頂点、無敵のステルス・シンイチロウなのね、と涼子はその様を眺める。

だが不敗神話も周到な一撃によって一瞬で崩壊する。王者を倒すのは、一瞬の局地戦でいい。ピンポイントなら可能。それが涼子の事前の解析結果だ。もともと王者相手に恒常的勝利など望めるはずもない。涼子は、非力な自分が勝利できる瞬間を待ち続ける。涼子は知っていた。その瞬間は待つのではなく、自身がダイブしつかみ取るものだ、ということを。

一週間が経った。ある朝、涼子はふわりと一通のメールを作成する。

「曾根崎教授からご指摘を受けたウェブサイトの文字化けの件は、ようやく修復いたしました。御高覧いただければと存じます。ご意見をお待ち申し上げております」

涼子は作成したメールを保留し、まず上司に報告メールを送信した。

——申請通りウェブサイト上の文字化けの修復を行ないます。

上司のメールの返信は通例遅いのだが、この手の事務的内容に関しては速い。特に月曜昼のメールは迅速だ。その時間に部内会議があり、彼の上司が部屋にいてみなアリバイ的に事務仕事に精を出す時間だということを、涼子は茶飲み話で聞かされていた。

案の定、上司からの返信は二十分後にあった。曾根崎教授からのレスの迅さに慣らされた涼子からするとスローモーに思えるが、冷静に考えると奇跡的な反応速度だ。

上司からの返信を読んだ後で、涼子は軽やかにクリックしウェブサイト上の文字化けサイトを、デスクトップ上に構築していた別立ての中身と入れ替える。一瞬にして涼子は『モルフェウス・プリンシプル』に対する論理的な批判者として、二年前からネット世界に登場している人物となった。

完璧《かんぺき》。ロジックの過程は今後、社会的に追随されるだろう。なぜならその領域のトップである曾根崎教授と充分に討議済みだからだ。

こうしたテクニックを、霞が関の公用語で「張り子の虎」と言うらしい。張り子の虎は放置すれば、やがて本物の虎として社会という名のジャングルを勝手気ままに闊歩《かっぽ》し始めるのだという。これはかつて上司が教えてくれた、公募研究の随意契約方式というやつの応用だ。

続いて涼子は震える指先で、書き上げておいた曾根崎教授へのメールの送信ボタンを押す。華やかな音と共に、そのメールは画面の向こうの虚空に吸い込まれていった。

これで、モルフェウスの回廊では、歩行ルールを厳守しようとする曾根崎教授が自身が設定したデッド・エンドで右往左往することになるはずだ。

涼子は目を閉じ、深々と息を吸った。

長い間、深呼吸を忘れていた気がした。

涼子の気づきは太平洋を隔て、時空を異にした空間でのやりとりで生じた、些細《ささい》なほころびが発端だった。人体特殊凍眠法の確立にあらゆる論理を展開したステルス・シンイチロウは、その絶大な力ゆえに、たった一点、ある条件を見落としていたが、指摘する者はどこにもいなかった。

曾根崎教授の組み上げた論理は完璧だった。ただしそれは、対象が自らの意思を社会に主張できる場合という大前提の下で、だ。曾根崎理論は、唯一の人工凍眠の対象になった症例が、自己による意志決定を社会から容認されない小児であるという事実を知らないまま構築されていた。その前提を導入すると、プリンシプルが持つ非人道性が拡大され、自らの重さで崩壊しかねないことに、あの朝涼子は気がついたのだ。

どうしてステルス・シンイチロウがかように初歩的な要素を見落としたのか。考え抜いた涼子は、ある結論に達した。彼の議論相手は、日本の論壇だ。論壇は一番初めに『凍眠八則』のうち、対象者のプライバシー保護という条項は無条件に呑《の》んだ。これにより コールドスリープの第一例が小児だ、という事実が議論から完全に抹消され、曾根崎教授がその問題に気づかなかったのだ。だが涼子にとってはモルフェウスは抽象的な存在ではなく、唯一無二の絶対的実存だった。だから涼子は、プリンシプルの欺瞞《ぎまん》に気づいた。つまり涼子の存在こそが、ステルス・シンイチロウの盲点であり特異点だった。

涼子は自らの属性を隠し、相手とオープン・ラリーを続け、相手の論理を磨き上げることで、その弱点を浮き彫りにした。積み上げられた精緻《せいち》な理論は涼子がその一点を全力で衝《つ》けば、細密なガラス細工のようにあっという間に壊れるはずだ。社会は子どもに対し寛容を装い、そして涼子は憐憫《れんびん》のストールを身に纏《まと》う。また、世間は王者の失墜を密《ひそ》かに望んでいる。ここまで条件が揃って涼子が負けるはずがない。

だが、勝負は一瞬でついてしまった。二年以上戦略を練り、仕上げた罠《わな》のどまん中に足を踏み入れながら、曾根崎教授は張り巡らされたすべての罠をいとも易々と破壊し、堂々と中央突破したのだ。ステルス・シンイチロウにとって、涼子が二年をかけて準備した戦略も、ここまでのメールのラリーと同じように軽々と打ち返せる程度の攻撃にすぎなかった。

曾根崎教授は、一通のメールを返してきた。

「フロイライン・リョーコ、さすがに私も今回は少々驚きました。そういうことだったんですね。お返事しますので五分お待ちください」

かっきり五分後、ウェブサイトのアドレスが送られてきた。メールを開くのももどかしく、アドレスをクリックし、呆然《ぼうぜん》とした。

膨大な文章を綴《つづ》ったブログを読み飛ばし、唖然《あぜん》とする。

自分の戦略のはるか上を一瞬でいかれてしまったと即座に理解できたからだ。

涼子は文字化けのページを自らのブログと入れ替えたが、ブログ内容は曾根崎教授とのメールのやり取りをデフォルメしていた。問題はブログの開始時期だ。文字化けで空疎な中身を提示し続けたページと入れ替え、二年前から問題点に気づいて公表していたというアリバイを手にした。そのログには文字化け解消のための操作しか残されない。

曾根崎伸一郎教授は涼子が隙を衝きひっくり返した理論を、さらに数歩推し進めていた。驚くべきは、それがこのたかだか五分の間に為《な》された対応だということだった。

詳細に検討してみると、涼子の指摘した点は見事に補正されていた。対象に責任能力がない場合という一項目がさりげなく論じられ、それは特殊ケースなので原則に導入する必要はないと断じる。結論も鮮やかだ。保護者に責任を一任などという陳腐なものでなく、子どもの人権を正面から論じていた。社会的存在として子どもを認めるという論理に拡大し、少年法の問題にも言及、情報過多の時代にもはや従来の子どもという存在は消滅したと述べ、社会に応分の責を負う、新しい存在として規定し直すという過激な提案を加味し、甘ったれた子どもへの憐憫をも、根底から破壊していた。論陣の佇《たたず》まいは鮮烈で、まさに覇者の名にふさわしかった。

曾根崎教授の論理は、ゲリラ戦を挑んだ涼子を正面撃破した。すべてを一元的に収束させるエレガントな結論、子どもという曖昧《あいまい》な概念を消失させた人権の拡大という新しい論理に、涼子は、ただ読み惚《ほ》れた。

ステルス・シンイチロウが新たに、そして瞬時に導き出した究極の結論には、一分の隙も見出せなかった。

着信音が響く。メールを開くと、そこには曾根崎教授が所属するマサチューセッツ工科大学のウェブ管理室のアドレスが記載されていた。涼子の視線は、ハイライトされた一行に吸い寄せられる。曾根崎教授のブログの掲載日は『凍眠八則』発表の一月後、つまり四年以上も前だった。

先進性からも涼子は完敗した。ステルス・シンイチロウが、プリンシプル提唱直後から気づいていた論理の足元に、二年経ってようやくたどりつけただけだった。

モニタを眺める涼子に、メールが届く。開くとただ一行、書かれたその文章が胸に突き刺さる。

——フロイライン、あなたはいったい何をお望みなのですか？

無心で無邪気で親切な論理家をハメて信頼を裏切った涼子に、これ以上辛辣《しんらつ》な質問はなかった。涼子は崩れ落ちそうになる身体を支え、最後の力を振り絞りメールを打った。

——私はスリーパーを守りたいのです。

メールは沈黙し、返信はなかった。


三日後。

不安がかさぶたのように固まり、痛みさえ忘れたある朝、そのメールは届いていた。

「『ゆりかごの子守歌』中の〝プリンシプルの問題点〟を改めて拝読しました。この程度のひ弱な牙《きば》では、『八則』の撃破は不可能です」

涼子はため息をついた。到着後、数時間放置されていたメールに、かたかたと返信を打つ。

「曾根崎教授。先般は失礼しました。かような議論の過程を、プリンシプル提唱直後に構築されていたとは驚くばかりです。もはや私が目指すスリーパー擁護の道は閉ざされてしまったと痛感しています。あとは従容として運命が導くままに進むだけでしょう」

書きながら、涼子の中にかすかな違和感が立ち上がる。これまでのメールのやり取りで肌で感じた曾根崎教授のロジックとわずかながら乖離《かいり》しているような印象があったからだ。だが、涼子はその直感に身を任せきれず、メールを送信してしまう。

即座に回答が戻ってきた。ボストンは夜中の三時なのに。

「獲物を罠にかける猟師は、自分が罠にかかった時にそれが自分の罠だと気づかない」

寓話《ぐうわ》のような文章を前にして、涼子は考え込む。

この場合、猟師はシンイチロウという獲物を討ち取ろうとした涼子のことだろう。その涼子が自分のかけた罠にかかる。どういうことだろう。

その時、涼子ははっと顔を上げる。もう一度、曾根崎教授のブログを読み返してから、力無いキータッチでメールを打った。

「騙《だま》されました。曾根崎先生も『張り子の虎』を用いたのですね。先生のブログの文章の成り立ちは、私のとまったく同じ。対話の中から生まれた文章を過去に溯《さかのぼ》りアップしたのですね」

送信した。トリックを見破ったからといって何にもならない。仕掛けたのはこっち。曾根崎教授の不正を暴けばその刃は自分自身に返り、涼子の攻撃は無力化する。

涼子は完膚無きまでにうち砕かれた。だが、ステルス・シンイチロウは敵に回った気配もなく、善悪のはざまを漂っている。その証拠に返信は穏やかだった。

「この姑息《こそく》な手法を『張り子の虎』と呼ぶのですか。無能なテクノクラートも、ネーミングセンスだけは抜群ですね。ところでフロイライン・リョーコ、私のブログがあなたの戦略の鏡返しだと見破ったポイントはどこでしたか？」

涼子は力無くキーボードを叩《たた》く。

「回答部分に『モルフェウス・プリンシプル』という単語が紛れこんでいました。記者によるこの命名を教授御自身はひどく嫌い、公式には一度も使ったことがないというゴシップ記事を読んだことがあります。曾根崎教授の全仕事にも目を通しましたが、記事の信憑性《しんぴょうせい》の裏づけは取れました。ところがブログにはその単語が一ヶ所用いられていました。私のメールした文章をコピペしたために起こった汚染《コンタミ》でしょう。なので先生のブログの記事は私とのメールのやり取りを改変した文章だ、ということは明白です」

返信すると即座に返事があった。

「ささやかな瑕疵《かし》に、よく気づきましたね。ところでフロイライン、これで私の完封勝利を認めてくれますか？」

涼子は力無くうなずく。わかっている。奇襲が失敗すれば、格下にはもはや勝ち目はない。だが曾根崎教授からのメールは、それで終わりではなかった。数行のブランクの下に書かれている続きの文章を読んで、涼子は目を見開く。

「最初の一行を目にして私の勝利宣言を素直に受け容《い》れたのは二重の敗北です。フロイラインの指摘を読んで、私は自分が構築したプリンシプルに破断点を発見しました。その一点を衝《つ》けば、フロイラインは私の理論を上回れるかもしれない」

涼子は驚いて、即座にメールを打つ。

「どうしてそんな危険なことを、あなたを罠にはめようとした相手に教えるのですか?」

当然の疑問だ。曾根崎教授は敗北主義の老子信奉者なのか。返信は速かった。

「論理界ではトラップはひとつの戦略にすぎず、そこに悪意は共存しない。トラップをかけることは強者であり、強者と悪意は同居しない。悪意は無能と同居するのです」

褒めているのか、嫌悪しているのか。曾根崎教授のメールの真意が読めない。

そんな涼子の心情を置き去りにして、曾根崎教授のメールは核心に入った。

「私は、私の理論に明瞭《めいりょう》な弱点があることに、気がついてしまいました。弱点がある論理は美しくない。でも私はこの理論を修正しません。社会的に確立された論理を破壊しなくてはならないのなら、それは提唱者以外の第三者がすべきだと考えているのです」

そして、涼子を名指しする最後の一行が、涼子の目に輝いて見えた。

「そう、それができるのは世界中を見回しても、フロイライン、あなたしかいない」

曾根崎教授の言葉は謎と啓示に充《み》ち、いくら考えても真意に到達できそうにない。長い間練りに練った戦略を一瞬で打ち砕いた智将の弱点を、こんな私が見つけられる、とでもいうのかしら?

一時間後、涼子は唇を嚙《か》み、白旗を揚げる。

「私にはとてもできそうにありませんし、大体、どうすればいいのかさえ、よくわかりません。せめてヒントをいただけませんか？」

たった一行のメールが返ってくる。

「ヒント、ですか……」

曾根崎メールとしては異例の間投詞、そして長考。

一時間後、メールが返ってきた。それはシンプルな一文だった。

——スリーパーをひとりぼっちにしてはならない。

涼子は呆然《ぼうぜん》とした。

そんなこと、私が毎日考えていることじゃないの。

モニタ上で赤く点滅する新着メールサイン。その時涼子は、かつて自分が選択できなかったもうひとつのオプションについて、ぼんやりと考えていた。

3. マニッシュ・リーパー　二〇一四・一二

真冬の街角から枯葉が吹き込んで来るように、黒ずくめのその男は涼子の前に姿を現した。

黒い靴、靴下、黒い背広に黒のソフトハット。手には黒いアタッシュケース。胸元のネクタイまで黒に見えたので喪服と勘違いしたが、よく見ると深い紺だった。いくらブラックマニアでも、さすがに黒ネクタイが何を意味するかという常識くらいは持ち合わせているようだ。

アタッシュケースは一見革張りだが、冷たい金属製にも思えた。ひょっとすると地上では入手できない黒曜石を切り出した特殊な鞄《かばん》かも、と思えた。だとするとこの男は地底人だということになるが、そのようにカミングアウトされても違和感はなかった。

黒ずくめは服装ばかりではない。男は滑らかで浅黒い肌をしていた。真冬でも毎日海に出るサーファーでなければ、ここまでの日焼けはできないだろうと思い、やはり地底人ではない、と涼子は考える。それから首を振り、考えを改める。毎日システマティックに日焼けサロンに通っているみたいな日焼けだから、逆に地底人の方がありうるかもしれない。彼らなら太陽を求めて日焼けサロンに通っていても不思議はない。

こうした印象にぴったり当てはまる言葉が、涼子の辞書の中にあった。

【死神：Reaper（リーパー）】

クリスマスも近いというのに縁起でもない。明日《あした》にでも担当を替えてもらおう。

涼子にしては珍しく、非論理的な考え方だった。外見の印象だけで担当の交代を申し入れたら相手の立場はどうなるのか、ふだんの理性的な涼子なら思慮深く、感情的な衝動を抑えただろう。だが、この部屋の女王として君臨する涼子は、プリンスの目覚めを前に気が昂《たか》ぶっていた。

それはたぶん、男がわざわざ一年で一番日の短い冬至を選んで訪問してきたせいでもあるような気がした。

目覚めまで百日と少々。今、目の前の冬を越えると、モルフェウスは目覚める。

涼子は今、手の中で眠る少年が、無事に目覚めることだけを願っていた。深く、深く。


差し出された名刺によれば、黒ずくめの死神はヒプノス社の技術者で、正式な肩書はテクニカル・スーパーバイザーの西野《にしの》昌孝《まさたか》、というらしい。彼が本当に死神であるかどうかはさておき、きわめて優秀であることは少し話をしてみただけで、すぐわかった。

その印象を証明するように、西野は涼子が毎日三十分かけるシステム・チェックを、十分少々で終わらせた。涼子でも三十分、ふつうなら優に二時間は超える作業だ。

スーパーバイザーなんだから慣れていて当たり前だわ、と呟《つぶや》いて、愕然《がくぜん》とする。

——慣れている？　ありえないわ、そんなこと。

たとえスーパーバイザーでもこの作業には習熟できない。この作業を必要とする人間は世界中で涼子だけ、そしてヒプノス社の人工凍眠システムの顧客《カスタマー》は、未来医学探究センターに眠るモルフェウスただひとりしかいないのだから。

涼子は西野のチェックの精度を確認すべく、いくつか質問をした。

「溶液のpH値のブレはどうですか？」

「五・七。やや酸性に偏っていますが、この時期であれば妥当です。再浮上プログラムに向けスリーパー自身が順調に反応している証拠です」

「スリーパー・マシンの微弱電流の日内変動幅について、標準偏差値はいかが？」

「偏差は〇・三でオーバー気味です。入眠直後であれば調整しますが、目覚め直前なら問題ありません。この数値が一年以上継続した場合は問題ですけどね」

流れるような答え。どんな質問にも、打てば響くような回答が得られる。涼子がチェックするポイントは一週間で七百項目弱。正確には六百七十四項目で、几帳面《きちようめん》な涼子は項目に序列をつけていた。一日の項目は優に百を超える。先ほど西野に投げた項目の重要度は、最初が十七番目、後のは六百三十九番目に位置した。落としてはならない重要項目と必要性の低いルーティン項目という意地の悪い組み合わせだが、その両方に即答できれば完璧《かんぺき》だ。

自分が四年かけてたどりついた境地にいとも易々とたどりつき、そしてあっという間に凌駕《りょうが》してしまった技術者を、涼子は尊敬のまなざしで見つめた。

西野は一時間ほど、涼子のシステムの前に陣取り何やらチェックしている。何だか自分自身が丸裸にされているような錯覚に囚《とら》われ、いたたまれなくなる。チェックされるのは未来医学探究センターのオフィシャル・パソコンだからプライバシー侵害にはならない。当然メールはノータッチだ。オフィシャルな日常業務を、有能な技術者がチェックしているだけ。そう自分に言い聞かせてみるが、それでも毎朝毎晩自分だけが触れているシステムに、他者が触れるということは、一種の侵食行為に思われた。

これは何かの予兆なのだろうか。ぼんやりと西野を見つめている涼子の視線に反応するかのように、西野は顔を上げると、厳しい表情で涼了に告げる。

「契約違反がありますね。このソフトの使用は契約外です」

涼子は息を呑《の》む。平静な表情を装い、尋ねた。

「どれが、ですか？」

西野はモニタを指し示す。肩越しに覗《のぞ》き込む涼子の鼻腔《びくう》を、ふわりとシトラス系の香水が刺激する。モニタに示されたのは、例の「高度教育ソフト」の起動画面だ。

「ソフトを起動しても警告が出なかったので、てっきり契約範囲内だとばかり……」

涼子は動揺を隠せず、震え声で言う。

「申しわけありませんでした。どうすればいいでしょうか」

西野は涼子の目の奥を覗き込む。涼子は思わず両肘《りょうひじ》を抱え身を守る仕草をする。

「追加料金を支払ってくだされば結構です」

西野の言葉に、涼子は小首を傾げる。

「そうさせていただきたいのは山々ですけれど、経費に関しては私に権限はありませんので本部と相談してみませんと……」

西野は、うっすらと笑う。

「悪名高い官民共同無責任事業の第三セクター類似システム相手の契約は、取りっぱぐれが多くて大変なんです。でも今回の問題は、私と日比野さんの間で解決できます」

涼子は思わず、え？　と目を見開く。西野は真顔で続ける。

「私と一晩、食事を付き合ってくだされば、何とかしますよ」

一瞬、真剣な視線を投げた西野に、思わず顔を伏せる。

「すいません。ジョークです」

顔を上げると、西野が笑顔を見せていた。日焼けした顔に皆既日食のダイヤモンドリングのように白い歯列が浮かび上がる。からかわれたと知った涼子が、怒りの視線を投げつけようとしたその時、西野の乾いた声が響く。

「ただし私と日比野さんの間だけで解決可能だ、というのは本当です。契約範囲内に未使用ソフトがありますので、このまま返却していただければ『高度教育ソフト』使用料と相殺できます」

西野が指した未使用ソフトを覗き込む。涼子は心臓を氷の手で鷲摑《わしづか》みにされた。

涼子はうつむき、か細い声で答える。

「それについては、もう少し時間をください」

西野は笑顔でうなずく。

「もちろん当社はお客様第一主義ですので、ご要望には従います。ただしこのソフトは使用時期の限界が設定されていますので、できれば御判断は年内にお願いします」

涼子はうなずく。

長いようでいて、短い猶予。西野は立ち上がり、右手を差し出す。涼子は戸惑いながら握手を受けた。自分の小さな手を包み込む大きな手の質感に怯《おび》え、手を引っ込める。

西野は陽気に歌うように言う。

「当社のシステムを誠実に管理して下さりありがとうございます。今後も、どうぞご贔《ひ》屓《いき》に」

西野の後ろ姿を見つめ、涼子は思う。決まり文句なんて必要ないわ。私はこれからもあなたの会社を贔屓せざるを得ない。だってこのシステムには競合がないのだから。

でも、選択の余地のない相手が優秀なことは幸せだわ。

初対面の時、西野が死神に見え、それ故に担当替えをしてもらおうと衝動的に考えたことなど、涼子はすっかり忘れ去っていた。

ヒプノス社のスーパーバイザー、西野の訪問は、鏡のように静かだった涼子の心に波紋を巻き起こした。涼子は引きこもっていたモルフェウスの宮殿から一歩を踏み出さなければならない。それは時の流れが涼子に告げた必然だった。

やはり西野は死神なのかもしれない。西野は涼子の中に芽生えたはかない想《おも》いを殺しにやってきたのだから。涼子は受話器を取り上げ、電話をかける。

「未来医学探究センター専任施設担当官、日比野涼子と申します。内線をお願いします」

翌日のアポを取った涼子は、それだけで疲れてしまった。最後の力を振り絞るようにして、その日のチェック項目を確認する。今日のチェックは西野とのダブルチェックになっているから、ふだんよりリスクは少ないはずだ。

だが他人は信用できない。涼子の見落としがモルフェウスの維持、そしてその覚醒《かくせい》に悪影響を及ぼすことになるだろう。西野の正確なチェックに寄りかかりたい、という依存心に、涼子の内なるアラームが鳴る。

——雑草は、小さな芽のうちに摘み取りなさい。

アフリカ大陸南端のノルガ共和国に滞在していた頃、領事館付のメイドから教わった言葉だ。太った、気のいい黒人女性はある日、領事館に来なくなった。聞くと、ゲリラ襲撃の流れ弾を受けて死んだのだと言う。

雑草は根絶やしに。そうしないと小さな不都合がいつしか畑全体にはびこり、すべてを台無しにする。そういう知恵を教えてくれたメイドは、これまでもそうやって注意深く生きてきたはずだが、それでも襲いかかる災厄から逃れることはできなかった。

自分を甘やかせば破滅する。

メイドの死をひとことでそう総括したのは医務官だ。その印象が今も鮮明に残っていることに、初めて気づく。当時は冷静な医務官を冷血人間と罵《ののし》り、軽蔑《けいべつ》した。そのことも思い出す。

だが憎むべきは彼なのか？　気のいいメイドに鉛の弾をぶち込んだのは医務官だったのか？

答えはノーだ。ではなぜ涼子は医務官を憎んだのか。自分の中の卑怯《ひきょう》な部分がそうさせた、ということに涼子はようやく気がついた。

憎むことは、相手の前に生身で立つことだ。ゲリラという、輪郭が不明瞭《ふめいりょう》で強大な存在を、涼子は怖れ、本能的にリスクを避け、自分に生まれた激情を何も言わない医務官にぶつけた。

医務官は涼子の不条理に気づいていたはずだ。だが彼は涼子を責めなかった。ひとこと、からりと言った。

「細部に気を配れ。兆しは些細《ささい》なところに現れる」

涼子は、医務官の言葉をいまだに理解できずにいる。

メールチェック。曾根崎教授からのメールは、謎かけの言葉以降、途絶えた。それはあれ以来、涼子の方からメールしていないことの裏返しでもあるのだが。

――スリーパーをひとりぼっちにしてはならない。

――自分を甘やかせば破滅する。

涼子の中で、曾根崎教授の謎と医務官の言葉が、時空の隔たりを超えて共鳴する。ひょっとしたら人間とは、時と空間を超えたふたつの言葉を結びつけるための小さな溶鉱炉なのかもしれない。

画面をシャットダウン。直前、西野が交換返却を提案した未使用ソフトウエアの起動画面がクローズする。網膜に灼《や》きついたソフトの名前はリバース・ヒポカンパス、直訳すれば、逆さ海馬だ。

それは涼子の願いでもあったはずだが、涼子はそのことに気づかないふりをした。それを偽善だと責める人間は、どこにもいない。

モルフェウスの目覚めが近づくにつれ、涼子の食は細くなっていく。

夕食は二日に一度。その流れでいけば今夜は食事のない晩だ。だが明日はタフな一日になる。なので今夜は少しは何かを口にしておきたかった。

少食なベジタリアンには冬場の買い物の選択肢は限られる。ジャガイモ、タマネギ、ニンジンといった根菜類を基本にしていると料理のレパートリーもシチュー、スープ、カレー類に落ち着く。

――今夜はボルシチにしようかしら。

スーパーでホールトマトの缶詰に手を伸ばした涼子は、背中から声を掛けられた。

「今夜はボルシチですか？」

驚いて手にした缶詰を落としそうになる。かろうじて買い物籠《かご》の中に着地させてから、平静を装い振り返る。

「さっきは、どうも」

日焼けした顔に人なつっこい笑みを浮かべた西野は、涼子の買い物籠を覗《のぞ》き込む。

「ひとり分のようですね」

涼子は警戒心を前面に押し出した表情を西野にぶつけ、小さな沈黙で応じる。

とりつく島もないが、西野はメゲた様子もなく陽気に言う。

「偶然ですね。せっかくですから、ご一緒に夕食でもいかがですか？」

涼子は小首を傾げ、西野をちらりと見てから静かに言う。

「先ほどはジョークとおっしゃっていましたが」

「あれは業務時間内だったもので」

「軽いんですね」

「人生は軽く、というのが僕のモットーでして」

涼子はお辞儀をして、ひとこと言う。

「あいにく今夜は予定がありますので、これで失礼します」

涼子はひとり、レジに向かう。その背中に、西野の強い視線を感じる。


丹念に皮を剝《む》いた根菜を弱火で煮込む。ジャガイモの角が落ち、ニンジンが丸く溶けていく。灯《あか》りが落ちた部屋の中、弱火のオレンジ色の炎が鍋《なべ》の底を舐《な》める。

ホールトマトは形を喪《うしな》い、鍋の中身は血の海だ。黒人メイドの肥満体に刻まれた弾痕《だんこん》から流れ出したどす黒い血が、乾いた大地に吸い込まれていくイメージと重なり合う。

ふと見遣《みや》った窓には、深い闇がへばりついて涼子の深淵《しんえん》を覗き込んでいた。

涼子の瞳《ひとみ》に、赤い炎がちろちろと揺れている。


翌朝。

涼子はよそゆきのスーツを着、普段引かないルージュをまとう。鏡の中、動作をひとつ重ねるごとに、透明な刷毛《はけ》でひとはきするように身体が光に包まれていく。

十分少々でチェックを行なった西野の動作を思い浮かべながらいつもなら三十分かかるチェックを二十分で済ませた。ひとつの限界を突破するには、外部のインパクトが必要だ。今の涼子はたったひとりですべてを突破するしかない。そのためには外部からの刺激を必要としていたし、実際に手にした刺激は新鮮だった。

扉を開ける。暗闇の神殿に朝の光が差し込む。涼子は目を細める。

虚勢を張ってはみたものの、東城大学医学部の巨大タワーを前にして、行き交う人々の多さに立ちすくむ。こうして見上げていると、とても一度破綻《はたん》した大学病院には思えない。再生後は、祝日も外来をするようになり、却《かえ》って祝日の方が混雑しているらしい。涼子は人々の多さにめまいを覚えながら、人の波をかき分け、エレベーターホールに向かう。なかなか来ないエレベーターを待ちながら、腕時計をちらりと見る。隣で猫背の老人が、コン、コンと耳障りな咳《せき》をしている。ひきこもりの宮殿から一歩踏み出すと、時が奔流となり、見えない滝壺《たきつぼ》に落ちて行くようだ。

ようやくエレベーターが来たが満員だった。幾度か、扉が開いただけで誰も乗せずに通過していくエレベーターを眺め、ここは一階なのにと不思議に思う。その時涼子は、エレベーターの箱の中に、さっきまで自分の隣で間欠的に咳《せ》き込んでいた、猫背の老人の顔を見つけて考え込む。

そして涼子は、地下にも患者出入口があることを思い出す。彼は、朝のエレベーター・ラッシュを地下からエレベーターに乗り込むという裏技で解決したのだろう。

左手首のブレスレットに隠されたケロイド痕を撫《な》でる。それから時計を見て、ひとつ小さくため息をつき、エレベーターホール裏手の非常階段に向かう。

四階の病院長室の分厚い扉をノックする。重々しい音が響き、緊張に身を縮める。その重厚さにはそぐわない、「どうぞ」という柔らかい声が聞こえた。

細身の身体で扉を押し開ける。朝の陽射しと、紅茶の香りがふわりと漂う。白髪交じりの小柄な男性が立ち上がると、涼子に右手を差し伸べてきた。西野の時とは違い、緊張せずにその手を取った涼子は、他人と接触する機会が急に増えたことにふと気づく。

母子家庭のような小社会から、幼稚園に入園させる時の母親の気持ちはこんなかしら、と思う。すると今、目の前で手を差し伸べている紳士はさしずめ幼稚園の園長さんね。

「初めまして。東城大学医学部付属病院院長の高階《たかしな》です」

涼子はその手を握り返して、か細い声で答える。

「未来医学探究センター専任施設担当官の日比野涼子です。今日はお忙しいところ、貴重なお時間を頂戴《ちょうだい》し、ありがとうございます」

高階病院長は笑顔で答える。

「堅苦しい挨拶《あいさつ》はやめましょう。あのセンターが佐々木君の面倒を見てくれていることは、我々もよく存じあげておりまして、大変感謝しています。さて、今日の御用件は何でしょうか？」

涼子の肩が軽くなる。勧められたソファに座ると、すでに紅茶が置かれていた。

涼子が話す依頼内容に耳を傾けていた高階病院長は、カップにゆっくりと口をつけた。

「お話は理解しました。それは我々東城大スタッフが協力すべき事柄ですね。早速、日比野さんがご希望されるスタッフを紹介しましょう」

手元のメモ帳にさらさらと書き付け、涼子に手渡した。

「まずそこに行ってみてください。きっと役に立つアドバイスをしてくれますから」

内線番号と部屋までの地図が描かれたメモには、ご丁寧にも道順まで記されていた。手書きの地図には二階の外来廊下の突き当たりから外付けの非常階段を下りるように指示されていた。

――一階の端っこ、と書けば済むのに、優しい園長先生ね。

ぼんやりしていたらエレベーターは一階に着いてしまった。誰も二階のボタンを押さなかったのだろう。周囲の人間と一緒にエレベーターから押し出されながら、一階まで下りたのだからわざわざ二階に戻る必要はないだろうと考えて、涼子は歩き出した。

それが間違いだった。

一階突き当たりは壁だった。涼子が訪ねるべき部屋は、その突き当たりの壁のさらに向こう側にあるかのように描かれていた。だがいくら周辺をうろうろしても、壁の向こうに行ける扉は見当たらない。

――なんなの、これ。

途方に暮れた涼子の側を、書類を抱えた事務員が通り過ぎる。涼子は思い切って声を掛ける。

「あの、この部屋へ行きたいんですが」

事務員は、書類を棚に置き、差し出された手書きの地図を見る。そして笑顔になる。

「不定愁訴外来はここからじゃあ行けません。地図の通り、二階の外来廊下の突き当たりの扉を開け、外付けの非常階段を下りないとダメなんです」

「この地図を見ると、この部屋は壁の向こう側にあるように思えるんですが」

「そのとおりですけど、設計ミスで部屋には二階の外付け階段からしか入れない構造になっているんです。嵌《は》め殺しの不定愁訴外来と言われてます」

「ひとつ伺ってよろしいでしょうか。メモには愚痴外来って書いてありますけど、それって不定愁訴外来のことなんですか？」

事務員は大笑いを始めた。

「不定愁訴外来というのは愚痴外来の正式名称です。あ、逆か、不定愁訴外来の渾名《あだな》が愚痴外来なんだっけ。ま、どっちも同じことですけどね。担当医の名前が田口《たぐち》先生というので、みんなからは愚痴外来と呼ばれてるんです」

ダジャレが病院内の正式な施設名称として流通しているわけね、と涼子は呆《あき》れた。

「それにしても、誰が書いたんですか、この地図。スタッフだとしたら困りますね」

事務員の非難めいた呟《つぶや》きに、まさかそれが病院長の直筆メモだと告げられずに涼子は、仕方なく素知らぬ風で丁寧に礼を言い、もと来た道を引き返した。

回廊を辿《たど》り、愚痴外来にたどりついた涼子は、出された珈琲《コーヒー》に口をつけず、目の前の男性を観察する。歳の頃は五十前後か。人をほっとさせる雰囲気がある。

小児不定愁訴外来、田口医師。つきそい看護師は浜田小夜。カルテ整理で読んだ看護記録。

古い記憶が甦《よみがえ》る。間違いない。モルフェウスはこの部屋に来たことがある。

思い出した途端、この部屋の何もかもが懐かしく思えた。

「今日はどういった御用件でしょうか」

田口の声が遠くから聞こえる。涼子は目頭をハンカチで押さえ心を落ち着かせる。こんなことで気を緩めている暇はない。涼子は震える声で切り出した。

「佐々木アツシ君を覚えていらっしゃいますか？」

田口は、黙り込む。椅子をきしませ、深々と座り直す。

「もちろんです。佐々木君のことは一日たりとも忘れたことはありません」

田口医師は差し出された涼子の名刺を見直し、言った。

「佐々木君の担当官の方ですね。そうか、あれからもう五年が経つのか……」

モルフェウスの目覚め後のメンタルケアの依頼をしていたのに、気づくと涼子は自分の心情を訥々《とつとつ》と語っていた。涼子の言葉が途切れると、田口医師は静かに言った。

「大変でしたね。おひとりで淋《さみ》しかったでしょう」

その言葉は、涼子の心に、ちくりと刺さる。涼子は面を上げる。

淋しくなんかないわ。私にはモルフェウスがいるんだから。

叫ぶように言いそうになる自分の背中に、崩れ落ちそうになる自分の姿が重なりあう。

さみしかった、さみしかった、さみしかった……。

涼子の中で田口の言葉が音叉《おんさ》のように反響する。

田口は沈黙する。部屋に差し込む冬の陽射しの入射角が少しずつずれていく。

この部屋は大きな日時計みたいだ、と涼子は思う。時の流れがゆったりしていて、どことなく涼子の宮殿と似ている。そこに田口の穏やかな声が響く。

「私もバックアップしますが、まずはこの方にお会いするのが一番だと思います」

田口は涼子にメモを手渡す。涼子は、礼を言って立ち上がる。

扉を開けると、プラスチック板で囲われた外付け非常階段から前庭に出る。

森の小径《こみち》を辿ると、木々の梢《こずえ》の間からオレンジ色に輝くドームが見えてきた。オレンジ新棟。救命救急センターと小児センターが合体した、最新鋭の病院棟。東城大が倒産した折、二階の小児センターは存続したが一階の救命救急センターは潰《つぶ》れた。桜宮市民の強い要望があったものの、救命救急センターが甦ることはなかった。

今は二階の小児センターだけが稼働し、目的の人物は今もそこで働いている。

オレンジ色の建物を見上げた。涼子の脳裏に、かつてここに君臨していた男の怒号が甦る。うめき声を上げる怪我人の間を、肉食獣のように闊歩《かっぽ》する男。今死んだら、この獣に食べられてしまう。人々が転がるホールの隅で、幼なかった涼子は、傷ついたインパラのように震えながら息を潜めていた。

　自分の中に甦った記憶を押し戻し、訪問相手を再確認する。カルテの中で一方的に見知っている相手。当時は救命救急センター付のヒラの看護師、現在はオレンジ新棟を率いる看護師長が今日は勤務していることを、田口は事前に確認してくれた。

　暗い一階を抜け、二階の扉を開ける。

「くぉら、何してんの」

　いきなり怒鳴りつけられ、涼子は手にしたバッグを落としそうになる。右手を拳《こぶし》にして高く掲げ、目を見開いた女性が仁王立ちしていた。立ちすくむ涼子の傍らを、小動物がすり抜ける。

「きゃは、ショーコのバーカ」

「おのれ、ガキだと思って優しくすれば無礼三昧《ざんまい》。成敗してくれる、と、と」

　勢い余って拳を振り下ろそうとして、ようやく涼子の存在を認識する。

　振り上げた拳を下ろし、翔子《しょうこ》は尋ねる。

「あの、えと、どちらさまで？」

　涼子は気まずい笑顔で、田口から手渡されたメモをおずおずと差し出しながら、目の前の如月《きさらぎ》翔子を、目を細めて見つめた。

「ごめんなさいね。ほんと、ここは悪ガキの巣窟《そうくつ》なもんで、つい、ね……」

ココアを差し出しながら、翔子は面会室で言う。カップに口をつけながら、今日はここに来て、実に多彩な飲み物を口にしたなと思う。院長室の紅茶、不定愁訴外来の珈琲、そして小児センターのココア。ハーブティだけで構成されていた体内組成が、雑然となりはじめている。涼子は眩暈《めまい》を感じ始めた。その上、人々の喧噪《けんそう》に放り込まれ、さまざまな言葉を受け止めているうちに、涼子は眩暈を感じ始めた。

ぐらぐらする頭をしっかりさせようと、ココアを一気に飲み干す。

「ところで、あたしに用って何でしょうか？」

差し出された涼子の名刺を怪訝《けげん》そうに見ながら、翔子が尋ねた。

「未来医学探究センターの専任施設担当官として、佐々木アツシ君の覚醒《かくせい》後のメディカル・サポーターになっていただきたいと思いまして」

「佐々木アツシ？　ひょっとしてあのアツシ？　未来医学探究センターってコールドスリープ・センターのことだったの？」

涼子はうなずく。翔子の目が見開かれる。

「とうとうアツシが目覚めるの？　すごいわ、アッシって元気？　あ、そっか、今は寝てるんだっけ。寝てる間に少しは成長した？　それともちっちゃいまんま？」

迸《ほとばし》り出る翔子の言葉はきらきらしていて、モルフェウスの神殿の仄暗《ほのぐら》さには似合わない。涼子は立て続けにぶつけられた質問から、回答できる部分を冷静に答える。

「アッシ君は凍眠中ですが、元気です。寝ている間も成長しています。微量ながらも日内変動で成長ホルモンが分泌されてますし、定期的にホルモンのサプリメントも追加されてますので」

翔子の生命力溢《あふ》れる眩《まぶ》しさは辛《つら》い。さっきから部屋の輪郭が揺れているのは、あまり良い徴候ではない。ふだんひとりなのに、いきなり大勢の人と接したから人あたりしたのだ、と涼子は思う。

涼子は、低い声で用件を告げる。

「当時の担当看護師、浜田小夜さまに、佐々木君の覚醒後のメディカル＆メンタルサポーター（ＭＭＳ）を依頼したいのです。不定愁訴外来の田口先生に相談したところ、まず如月さまにお目に掛かるよう、提案されました。ですので浜田さまをＭＭＳに確定後、佐々木君のご両親と覚醒後の詳細を話し合いたいと考えています」

涼子の言葉に、翔子はうつむく。嫌な予感を押し殺しながら、涼子は続けた。

「浜田さまの連絡先を教えてください。浜田さまとは親友だったそうですね」

翔子は大きな目を見開き、涼子を見た。そして静かに首を振る。

「それは無理。というより日比野さんの依頼は二重の意味で無理よ」

「二重、と言いますと？」

「まず小夜については、日比野さんがいくらがんばってもどうにもならないの」

「浜田さんとは音信不通なんですか？」

「ううん、小夜が今どこにいるかは知ってるけど」

涼子はほっとした。所在さえわかっていれば、あとは熱意で何とかなるだろう。

「教えてください。こちらから依頼致しますから」

翔子は涼子の顔を見つめた。

「それは無理なの。小夜は今、自由のない場所にいるんです」

それってどういうこと？　涼子の眩暈が激しくなる。パイプ椅子の背もたれを両手で握りしめて崩れ落ちそうになる身体を、かろうじて支えた。

「じゃあ、ご両親の連絡先を……」

「ご両親も対応できないわ」

「なぜ、ですか？」

声が掠《かす》れる。朝の昂揚《こうよう》感は無惨に崩れ落ちそうだ。自分が眠りの宮殿に引きこもっていた間に、何が起こったのだろう。翔子は涼子に言う。

「御両親は、コールドスリープの直後に離婚し、ふたりともアッシの親権を放棄したんです。費用の支払いを拒否し、その後音信不通で今はどこにいるか誰も知らないの」

え？

涼子は言葉を失う。

モルフェウスとの関わりを、経済的理由だけで両親が断ち切った。

涼子の周囲の世界がぐるぐる回転を始めた。遠くで翔子の声がエコーを引きながら小さくなっていき、視界が暗転した。

遠くに聞こえるジングルベルの旋律にひそひそ声が混じる。

――おねえさん、死んじゃったの？

――縁起でもないこと言わないの。ちょっと気を失っただけよ。

――でもいくら揺すっても目をさまさないよ。

――死んじゃないわ。ほら、胸が上下に動いてるでしょ。

――でも美人薄命っていうからさあ。

――難しい言葉、知ってるわね。だからあたしも長生きできないんだから、いうこと聞いて。

――ショコちゃんは大丈夫だよ。僕より長生きするから。それに、二〇一七年には世界は滅亡しちゃうから、美人もブスもないんだよ。

ラジオのチューニングが合っていくように次第に会話がはっきり聞こえてくる。こうして耳を澄ましていると、長い間忘れていた感情が甦《よみがえ》る。涼子はくすくす笑う。

「あ、起きた」

目をあけると天井が見えた。青白い蛍光灯の周囲を、くりくりした目が並んでいる。

指先から透明なチューブが伸び、点滴台のボトルに繋《つな》がれている。透明な滴がぽたり、ぽたりと小さな湖面を打つ。

涼子は上半身を起こそうとするが、身体が重い。

ご迷惑をお掛けしました、と立ち上がろうとした途端、また部屋が回り始める。

「無理しちゃダメ。点滴が終わるまで寝ていた方がいいわ」

「すみません」

涼子が再び身を横たえると、翔子は立ち上がり、まとわりつく子どもたちを追い払う。

「みんな、おやつの時間だよ。巡回の姉ちゃんが来るからベッドで待ってなさい」

はーい、とか、ほいほい、とかさまざまな返事をし、子どもたちが散らばっていく。子どもたちがいなくなると、翔子は涼子の側でぼんやりと佇《たたず》んだ。薄目を開け翔子の横顔を見て、やっぱり綺麗《きれい》な女性《ひと》だなと改めて思う。


メディカル&メンタルサポート役の当てがなくなった挙句に、小児センターで卒倒するという失態を犯し、自己嫌悪に囚《とら》われながら大学病院を後にしたのは、夕刻だった。

こんな流れの中で翌日、翔子を施設見学に呼ぶ約束を取り付けたのは上出来だ。

涼子は、よろめくようにしてモルフェウスの宮殿に舞い戻る。

丸一日、宮殿を空けたのは久方ぶりだ。涼子は地下室に駆け下り、チェックを始める。

本当はすぐにでもベッドに倒れ込みたかったが、手を抜けばモルフェウスは、二度と目覚めなくなるかもしれないという強迫観念が涼子を覆う。

その日に割り当てられた八十三項目のチェックを終え、二階に上がる。余ったボルシチを、冷たいままカップに注ぎ一息で飲み干す。空っぽのカップにぎらついた油がどろりと残る。

血を飲み干すバンパイアになった気がした。次の瞬間、涼子はベッドに倒れ込んだ。


自分を甘やかせば破滅する。


開襟シャツのボタンをふたつ外した、だらしない着こなしの医務官が言う。中庭の椰《や》子《し》の間に張られたハンモックに寝ころび、縁の細いパナマ帽のひさしの陰に顔を隠し、涼子と視線を合わせようとしない。

涼子は医務官をにらみつける。

ミエルが自分を甘やかしたなんて、ひどいわ。

医務官は不思議そうに涼子に言う。

なぜお前が苛《いら》ついているんだ？

涼子は医務官に苛立ちと悲しみを叩《たた》きつける。

冷たすぎるよ。昨日まで一緒に仕事をしてたミエルが死んだんだよ？　どうしてそんな他人事《ひとごと》みたいな顔でいられるの？

医務官は、風に揺れるハンモックの上で肩をすくめる。

他人事、だからな。

涼子の怒りを受けとめて、静かに続ける。

破滅してしまえば完結する。そいつの破滅はそいつ自身には何も残さない。人は石ころのようなものだ。覚悟すればあとは湖底に沈むだけ。だがひとつの破滅は周囲に波紋を残す。お前の破滅は、沈んでいく石ころのお前自身には関係ないが、周囲の人間には問題だ。ミエルの死がお前にとってそうであるように、な。

何言ってるんだか、さっぱりわかんないよ。

涼子は答える。夢の中の涼子はまだ少女なので、許してもらうしかない。医務官は上半身を起こしパナマ帽を取り上げると、傍らの涼子にぱさりと被《かぶ》せる。

死んだミエルのことなど、どうでもいい。悲しむ暇があるなら、もっと大切なことを考えろ。

大切なこと？　全然わかんない。

——だからガキと女は面倒なんだ。

そう呟《つぶや》いた医務官はハンモックからひらりと飛び降りる。そして言う。

いいか、お前は絶対死ぬなよ。それくらい、言われなくてもわかれ。

帽子で失われた視界の外側で、頬を撫《な》でるそよ風のようにその言葉が耳元をよぎる。

帽子を取ると、熱風の中、医務官の後ろ姿が遠く陽炎《かげろう》のように小さく揺れていた。

目を開けたら朝だった。冷たい水を一口飲み、ベッドの上に座り直す。

涼子は昨日のできごとを理解する。目覚めた後、モルフェウスはひとりぼっちになってしまうことが昨日決定したのだ。モルフェウスはシュレディンガーの猫だ。箱を開けてみるまでは、放射性物質が壊れているかどうか、そして猫が生きているか、死んでいるのかは、誰にもわからない。だが蓋《ふた》を開けた瞬間に、猫の生死はどちらかに収束する。涼子が箱を開けたら猫は死んでいた。ただそれだけのことだった。

今の涼子には、目の前に横たわる猫の死骸《しがい》をどうすればいいのか、わからなかった。


翔子が未来医学探究センターにやってきたのは、午後だった。

「本当はもう少し早く来られたんだけど、引き継ぎの最中に患者が急変しちゃって」

言い訳をしながら、翔子は地下室に足を踏み入れる。

「これがアツシ？　あの時は九歳だったのに、外見はもう中学生みたいねえ」

「人工凍眠でも成長ホルモンも微量ながら分泌されますし、ホルモン剤も投与します。入眠時は百三十七センチでしたが、現在は百五十四センチです」

「じゃあ目覚めたら十四歳になっちゃうの？　そしたら寝てた五年間はどうなるの？」

翔子の的外れな反応に、涼子は静かに首を振る。

「社会的には凍眠に入った瞬間に一切の公民権が停止されます」

「それってどういう意味？　あたし、バカだからさ、もっと嚙《か》み砕いて教えてよ」

単刀直入な翔子の発言に、涼子は微笑を浮かべる。

「要するに佐々木君の時間は、凍眠と共に止まり社会的には九歳のままなんです」

翔子は、何だか解せない、という表情で中途半端な相づちを打つ。涼子は共感する。

——でしょうね。毎日見ている私でさえ、納得できないもの。

涼子の共感に気づかず、翔子は、すっとんきょうな声をあげる。

「それって、チビアツシが寝ている間に、あたしよりデカくなるっていうこと？　寝る子は育つとはいうけど、ナマイキよね。図体《ずうたい》がデカいからってデカい態度とったら、シメてやろうかしら」

まだ生意気な態度を示してもいないのに。涼子は翔子の暴走にはついていけない。

突然、翔子が悲鳴を上げ、モルフェウスの棺を指さし、震える。

「何？　どうしたの、これ？」

銀の棺で眠るモルフェウスの四肢が引き攣《つ》れ、ぴくり、ぴくりと律動していた。

涼子は答える。

「横紋筋刺激電流です。佐々木君は羊水の中で眠る胎児のように無重力生活をしているので筋肉が落ちてしまいます。その防止のため二時間に一度、微弱電流を流して全身の筋肉を収縮させるんです」

「そういえば寝たきりのお年寄りの筋肉もすぐ落ちるもんね。なるほど」

一陣の風のように翔子が姿を消す。モルフェウスの神殿は輝きを失う。

翔子はひかりの女神だ。その場にいて、好きなように喋《しゃべ》るだけで空間に光が溢《あふ》れ出す。涼子は、鏡に映る自分の姿を見つめる。翔子が目覚め後のモルフェウスの隣に寄り添うのならば、もはや涼子に出番はなくなる。涼子は残りの項目をチェックし終えると、モルフェウスの棺を見ずに階段を駆け上がる。洗面所の蛇口を勢いよく捻《ひね》り水を溜《た》めると、透明な水に顔を突っ込んで、胸に溜めこんだ息を思い切り吐き出した。

気がつくと、夕闇の街をさまよっていた。クリスマスを彩るショーウインドウに映る影にはルージュが引かれているから、外出するという意識はあったようだ。落ち葉を舞い上げ、木枯らしが吹きすぎていく。涼子は両手で肘《ひじ》を抱え、震える。

「日比野さん」

自分の名を呼ぶ声に振り返ると、枯葉の季節に似合わない日焼けした顔に、白い歯を光らせた西野がいた。

おいしいアフリカ料理を出す店があるんです、という陽気な声に、もはや抗《あらが》う力もなく、涼子は西野の後をついていく。前を歩く西野の足取りは軽く、風の精のようだ。桜宮の歓楽街、蓮《はす》っ葉《ぱ》通りを抜け、古いビルの前に立つ。西野は地下を指し示す。

「味はなかなかですよ。南アフリカのノルガ共和国の風土料理もあるんです」

真冬の街角に佇《たたず》む涼子の傍らを、真夏の熱風が吹きすぎる。砂埃《すなぼこり》の砂漠の果て、開襟シャツ姿の医務官の後ろ姿が陽炎に揺れた。

舌の上を香辛料の効いた味付けのバラ肉の味が広がる。

「この店でいいですか？」

西野が問いかける前に、涼子はうなずいていた。

まさかノルガの地酒、クラマルタがあるとは思わなかった。領事館の職員は地元料理にほとんど手をつけなかったが、クラマルタだけは例外で領事館の食堂でも出された。クラマルタを飲むと大人たちは陽気になる。中学生の涼子はその様子を羨望《せんぼう》の視線で眺めていたものだ。

酒が飲みたいわけではなく、ただ陽気な空間を共有してみたかっただけだ。そんな涼子を見ていた医務官が、ある日コップにクラマルタを注いでくれた。

「飲むか？」

涼子は杯を見つめた。好奇心はあるが口をつけたら、自分の周りの世界が一変してしまいそうで怖かった。手が動かない。そんな涼子を見た医務官は、杯を取り上げる。

「タイムアップ。いいか、大事なことを教えてやる。飲んべの前に酒があって、気まぐれでそのコップを差し出したら、迷わずにとっとと飲んでしまうことだ」

にやりと笑った医務官は、なみなみと注がれたクラマルタを一気に飲み干した。

涼子は、日本に帰ってからも時折、あの時すぐに杯を口に運べばよかった、という後悔に苛《さいな》まれた。目の前の西野が、あの時の医務官と重なる。

耳ざわりなジングルベルの中、西野はメニューを見ながら手際よくオーダーしていく。

「前菜はドド豆の煮付けとノルビア・フィッシュの酢漬け。豆料理は大丈夫？　ではそれで。メインにノルガ・キャメルのステーキ、かな」

メニューを返すと、ボーイが尋ねる。「お飲み物は？」

「僕はビール。日比野さんは？」

涼子は目の前の西野の視線を気に掛けながら、メニューの上を二度、視線を往復させる。そして細い指先でメニューをさし、消え入りそうな声で言う。

「この、クラマルタというお酒を下さい」

「かなり強いお酒ですけど」

ボーイが余計なひとことを添える。逡巡《しゅんじゅん》する涼子に西野が言う。

「心配しなくても大丈夫。日比野さんがムリなら、その時は僕が飲みますよ」

「かしこまりました」

ボーイが復唱する声を聞きながら、もしも無事に目の前にクラマルタの杯が運ばれてきたなら、誰が何と言おうと、一気に飲み干してしまおうと心に決めていた。

飲むほどに世界が明るく光っていく。涼子はクラマルタの威力を知った。

「西野さんてすごいですね。あの複雑なシステム・チェックをあんな風に簡略化できるなんて。どうすればあんな考え方ができるんですか？」

「それがテクニカル・スーパーバイザーってもんでしょ？」

キャメル・ステーキにかぶりつきながら、西野は言う。よく笑う男だ。

「でもカスタマーは実質、ウチだけですよね。そうしたらシステムの端々まで習熟するニーズはないでしょう？　なのに隅々まで熟知しているのはすごいなあと思うんです」

涼子がボールを打ち返すと、西野は肩をすくめる。

「鋭いですね。仕方ない、白状します。実はモルフェウス・システムを設計したのは、僕なんです」

涼子は言葉を失った。モルフェウス・システムは世紀の大発明で、発表された時は一大センセーションが起こったと、いつもはシニカルな上役が珍しく熱っぽく語っていたのを思い出す。

——とにかく発想が豊かで、言われればなるほどと誰もが膝《ひざ》を打つ単純な転換でも、言われなければ凡人には永遠に気づかない、隠し絵みたいな設計でね。ひとめで安全とわかるシステムなんてものには、そう滅多《めった》にお目にかかれるもんじゃない。完成してしまえばあまりの美しさとシンプルさに、そうしたアイディアがそれまでなかったのが信じられないくらいさ。そしてその優秀さにいち早く気づき、導入を決めたのがこの私、というわけだ。その功績で、こうしてここに赴任できたんだがね。

涼子はクラマルタを一息で飲み干す。そしてふと思いついて、尋ねる。

「モルフェウス・システムを思いつくなんて、どこかお加減が悪いんですか？」

「僕が具合が悪い男に見えますか？」

「だってモルフェウス・システムは、病気になったとき、新薬や新治療法が開発された未来にタイムワープするために開発されたんでしょう？」

「その発想は、日本政府によって否定されてるでしょ」

「それは頑迷な官僚たちが……」

西野は人さし指を涼子の唇に当てる。涼子が黙り込むと西野は言う。

「それは誤解です。現状は厚労省の方針によってヒプノス社が目指すビジネス戦略が潰《つい》えたかに思われている。ですが、システム開発者の僕からすれば、厚労省は開発者の趣旨に立ち返り、システムの精神を原点に戻してくれた恩人なんです」

西野はコップになみなみと注いだクラマルタをちびりと舐《な》めると、言った。

「僕は重度の躁病《そうびょう》でしてね。実は不眠症なんです。そのこと自体は楽しいから不満はないんですけど、身体の方が疲れてしまう。だからたまにはふつうの眠りが欲しくなる。それで凍眠システムを考案したんです」

「だから期間限定なんですか」

涼子の問いに、西野はうなずく。

「ところが欲深のヒプノス社は、僕が短い安眠のために開発した商品の限界を目一杯まで延長し、病気治療のためのタイムスキッパーとして売り出そうとした。愚かな連中です。凍眠期間を延長すれば、その分リスクが高くなるなんて、わかりきっていたのに」

西野の言葉の響きの冷たさに、思わず涼子は問い返す。

「今でも人工凍眠の一般適用を求め活動している、病気を抱えた方は多いわ。それなのにヒプノス社の方針は、開発者のあなたの気持ちに合わなかったというんですか？」

西野は眉《まゆ》をひそめて、答える。

「わが社のモルフェウス・システムは五年の眠りは保証しますが五年後の疾病治癒は保証できない。自分が願う医学の進歩がない世界で目覚めたら、凍眠に入る前と変わらない。その時には、希望から失望への微分値が大きすぎて耐えられなくなる。リスクは増えるわ、恨まれるわ、というのでは割に合わない。僕は人々の幸せを願いはしないけど、人々の悲しみが増大するシステムを作りたいとも思わないんです」

涼子は、厚生労働省が人工凍眠を凍結した論理の原形は、まさに開発者が望んだものだと知って愕然《がくぜん》とした。悪党は役人ではなく、ここにいる躁病の死神だったのか。

「あなたには病気の人々の幸福を願う気持ちはないんですか？」

「全く興味もないですね。僕が興味があるのは僕の幸福についてだけ、です」

「がっかりだわ。みんなのことを考えて素敵なシステムを作った人だと思って尊敬しかけていたのに。システムを大量に売りさばいてお金が稼げれば幸せなんですか？」

涼子の怒声に、西野は肩をすくめる。

「涼子さんは僕を誤解してます」

いきなり名前で呼ばれ涼子は、グラスを落としそうになる。西野は平然と続ける。

「僕は他人の幸福には興味はない。だからといって他人が不幸になることを望んでもいない。どうせシステムを作るなら、適正に稼働させたい。これはエンジニアの本能です。それを良心などという、綿菓子みたいな言葉で飾り立てたくないだけだ」

西野は涼子の瞳《ひとみ》の奥を覗《のぞ》き込む。

「僕の幸福は、自分が作り上げたものが美しく光り輝くこと。その輝きの下でひょっとしたら人々は幸せになれる、かもしれない。でもそんなことは僕の知ったこっちゃない。僕は、自分の創造物を人々の幸せのために作ったわけじゃないんですから」

西野の言葉を聞いて、涼子は自分の胸の奥底に沈めた硝子《ガラス》の破片を思い出す。

私に、この人を責める資格はあるのかしら。

他人の幸せなどどうでもいい、と言い放つ西野の方が、他人の幸せを願いながらも、その実、何ひとつできないばかりか、他人の幸福を奪ったことさえある涼子より数段、清潔な気がした。

涼子の脳裏を、ラベンドールという花の、鮮やかな青さがよぎる。

気がつくと涼子は昔話を語っていた。

そして、自分が行なった小さな裏切りについて。

西野は話を聞き遂げると、静かに言う。

「涼子さんて真面目だね。そんなこと気に病んでいたんだ。涼子さんは悪くない。そのメイドが自分で選んだ道なんだから、忘れるのがいいよ」

自分の告白に西野がどう反応するか息を詰めていた涼子は、吐息をついた。

涼子は力なく微笑する。何よ、優しい言葉なんか言っちゃって。死神のクセに。

そんな気持ちを知ってか知らずか、西野は長々と涼子に感謝の言葉を捧《ささ》げた。酔った西野はくどくどと同じ言葉を繰り返したが、涼子にとってそれは心地よかった。

「僕は涼子さんに感謝したいんです。僕のシステムを隅々まで理解してくれた。あなたは僕を幸せにしてくれた。食事に誘ったのは、そのお礼を言いたかったんです」

三度目の感謝の言葉を聞いた時、涼子は本当に聞きたかったことを口にする。

「西野さんのシステム・チェックのスピードは驚異的でした。私なんて四年もかけて、やっと一日三十分で終わるようになったのに、西野さんは初めから十分ちょっとなんですもの。何かコツがあるんですか」

「システム開発者だもの、どこに何があって、どういじればどうなるか、世界中の誰よりもよく知っていて当然でしょう」

「素晴らしいですね」

西野は酔った目で、涼子を見つめる。それからうっすら笑う。

「何だ、涼子さんは信じちゃったんだ、僕のたわごとを。今のはハッタリですよ」

「え？」

とまどう涼子に、西野は続ける。

「チェック項目を二、三ランダムに行なったら、涼子さんのシステム・メンテナンスが高度だと理解できた。だからランダム・サンプリングを十ヶ所行なった。いくら僕でもあんな短時間で隅々までチェックできません。もし涼子さんの役割を振られたら、僕だって一時間は必要です」

呆《あき》れ顔で西野を見つめる涼子に、正々堂々と種明かしをしてみせる。

「つまり涼子さんが行なったチェックの精度の高さに寄りかかって、少ないチェックで済ませた手抜き、というわけですよ」

「じゃあ、私が割り当てたふたつの質問に答えられたのは偶然だったんですか？」

西野はうなずいて、それから首を振る。

「まぐれと言えばまぐれです。でも、必然と言えば必然なんですけどね」

「どういう意味です？」

「ひょっとしたら、チェックを早く終えた僕のチェックを確認するため、涼子さんはテストしてくるかもしれないと思いました。食い入るような目で僕のチェックを学習してた真面目な方ですからね。もし尋ねてくるならどんな項目か。たぶん、ここ一日二日で涼子さんが調べた項目に違いない。そのデータ値を覚えていなければ質問ができませんからね。なのでチェックの最後に、ここ二日の涼子さんのチェック項目を確認して、その数値を暗記した。そしたらビンゴだった、というだけです」

真相を聞かされた涼子は、ため息をつく。

——道理で速いわけだわ。私はまんまとこの人の読み通りの行動をしてしまったわけか。

涼子は拍子抜けすると同時に、そんな手法を平然と取れる西野の大胆さに興味を持つ。

種明かしをした西野は、また涼子に絡んできた。

「あの部屋の涼子さんと今の涼子さんはまったくの別人に見えますね」

「そうかしら。それなら今の私はどう見えます？」

「寂しがりやの甘えん坊」

そうやって女の子を落としてきたんでしょう、と涼子は笑みをこぼすと、フラッシュが光った。いつの間にか取り出した携帯電話のカメラで涼子の一瞬の笑顔が奪われた。

涼子は西野をにらむが、立て続けにフラッシュ・シャワーを浴びせられ、とうとう本当の笑顔になってしまう。その表情を最後のワン・フラッシュでしっかり切り取った西野は携帯をポケットにしまいこむ。涼子と改めて向き合うと、真顔で言う。

「そんな笑顔を隠し持っているなんて、ズルい女性《ひと》ですね。そんなの見せられたら、どんな男でもイチコロですよ。初めてお目にかかった時とは大違いだな」

西野のウエハースのように軽やかな言葉に酔いながら、涼子は質問を重ねる。

「じゃあ、初対面の時には、私はどう見えたんですか？」

「囚《とら》われの修道女」

ウインクをした西野の答えに、涼子は身を硬くする。ひとことで本質を言い表されてしまった気がした。西野は酔った口調でひらひらと続ける。

「でもって、今の僕は、その修道女を娑婆《しゃば》に連れ出し、笑顔にしようと踊っている」

「他人の幸せなんて、どうでもいいんでしょう？」

「もちろんそんなのなんてどうでもいい。でも今の僕にとっては、涼子さんが笑顔になることが、僕の幸せなんです」

清々しいまでに傲慢《ごうまん》なセリフ。涼子は心を揺すぶられながら、尋ねる。

「じゃあ、あなた自身の幸せって何なんですか？」

「酒を飲むこと、唄《うた》うこと、踊り狂うこと。それから……」

言葉を切った西野は、涼子の目の奥を覗き込みながら言った。

「それから囚われの修道女を解放すること。その女性と夜を共にし、朝を迎えること」

いきなりこころの真ん中を言葉の銃弾で撃ち抜かれ、胸を手で押さえる。

反射的に言い返す。

「あなたは死神よ。だから、怖いわ」

とっくに忘れていた初対面の印象を海馬からむりやり引き出し、盾にする。

「僕が死神？　こんなにも人生を謳歌《おうか》している、この僕が死神？　それは名誉毀損《きそん》だ」

西野は白い歯を見せて笑う。そして熱狂がしんと醒《さ》めた目で涼子を見る。

「もし僕がそう見えるのなら、涼子さんが今いる場所が死に近いんだ。そもそも自分の生存認識が間違っているから正反対の場所にいる僕を死神と誤認してしまうんだ」

「そんなこと、ないわ」

か細い声で涼子は答えるが、酔った西野の耳には届かない。西野は続ける。

「死の近くで生きるのは悪いことじゃない。人は誰でも一日一度、死の側に行って祈りを捧げなければ狂ってしまう生き物なんだもの。だから不眠症の僕は、この世で死から最も遠い男なのさ」

西野の陽気な言葉がシャンパン・タワーの泡のように次々に注がれる。

「だから僕は、自分の対極にある眠りにあこがれて、このシステムを設計した。それなのにいざ完成させて、いよいよ自分で楽しもうとしたら喧《かまびす》しい連中がよってたかって僕のシステムを雁字搦《がんじがら》めにし、欲望の湖底に沈めてしまった。まったく、善意の凡人ってのは始末に負えない連中だよ」

西野は深々とため息をつく。

「未来なんとかセンターは、僕には墓標にしか見えない。涼子さんは美しき墓守さ」

西野は笑う。西野の笑顔は何回も見たが、笑い声を聞いたのは初めてかもしれない。

ゆらめいた涼子の一瞬の隙を衝《つ》き、西野はテーブルの下で、涼子のほっそりした手を握る。無言の言葉が皮膚から直接涼子に語りかけてくる。

死の世界から戻っておいで。

手を振りほどこうとするが、抵抗できない。そして西野には、それが涼子の抵抗だという意思すら届いていないに違いない。

涼子の中で繰り返し、西野の言葉が反響している。

涼子の手の力が徐々に抜けていく。

涼子の輪郭が光る。わずかな汗がふたりの境界線を滑らかに溶かしていく。西野の日焼けした身体が闇に溶け、そこからしなやかな指先だけが伸びてきて、白い乳房を握りしめる。涼子は悲鳴を上げ、別の角度から侵入してくる部外者を、拒絶しようともがき続ける。力ずくで押さえつけられ、拘束の中で快い従属に身を落とす。内部の律動が闇を裂き、その裂け目から一条の白光が煌《きらめ》く。

西野は微笑《わら》う。見上げる涼子の目尻《めじり》から涙が一筋流れる。

ブラインド越しに、ゼブラ模様の朝の光が殺風景な部屋に差し込んでくる。闇の中で暴虐の限りを尽くした西野の裸体は、光の下でみすぼらしく縮んでいた。

涼子はベッドから抜け出す。西野は寝言を言い、身体を動かしたが、すぐに寝息を立て始める。

クリスマスの朝。ベッドの下にばら撒《ま》かれていた衣服を手早く着込んで部屋を離れる。

ほの暗い夜明け前、寒々とした道端でタクシーを拾う。行き先を告げ、後部座席に沈み込みながら考える。

あんなに眠りこけるだなんて、不眠のマニッシュというのは、私の気を惹《ひ》くための嘘だったのね。

庭先で尾の長い鳥がひと声啼《な》いた。涼子は朝靄《あさもや》の中、白亜の未来医学探究センターを見上げる。

吐く息が白く凍る。ここに定時に外部から入室するのも久しぶりだ。涼子の寝室は職場の二階だから、いつもは朝食を済ませ、普段着のまま階下に下り、朝一番のチェックを行なっている。そんな涼子には職場に出勤するという概念が消失していた。

まるで、ごく普通の事務員みたいだ、と思う。でも普通の事務員なら出勤時にこんなにどきどきなんてしないだろう。

扉を開けた瞬間、涼子は総毛立つ。部屋中に重低音の濁ったアラーム音が鳴り響いていた。

涼子はバッグを投げ捨て、一目散に地下室に向かう。重い扉を押し開くと、警報ランプの点滅が、うす暗い部屋を赤と黒に交互に染め上げている。涼子はモルフェウスの寝台に駆け寄ると、アラームの原因を探索する。チェックは重要度順よ、落ち着いて。酸素分圧ＯＫ、循環システムＯＫ、次は体温設定、体温設定、体温設定……。

赤いチェックボックスが立ち上がる。予定温よりコンマ五度高い。

それは一時間前に起こっていた異常事態だった。

胸を撫《な》で下ろす。

これならマニュアルを読むまでもない。この程度の小トラブルはいつものことだ。
震える手で設定温度の閾値《いきち》を上げ、アラームを解除した。これで問題は解消するはず。
祈るような気持ちで目を固くつむる。そして、クリック。
次の瞬間、耳を劈《つんざ》くような警報音はぴたりと止んだ。
部屋は、静寂以上の静けさに包まれた。
五年間、アラームなんて一度も鳴らなかったのに。たった一晩、外泊した朝に……。
涼子は冷たい棺にしがみつく。
——ごめんね、ごめんね。
朝の光が届かない地下の神殿に、幽閉された修道女の懺悔《ざんげ》が繰り返し反響していた。

4. リバース・ヒポカンパス　二〇一四・一二

神殿に赤黒いアラームが鳴り響いた二日後。午前のチェック項目を確認していると来訪者のベルが鳴った。モニタで確認すると、黒ずくめの西野が澄まし顔で立っている。居留守は、真面目な涼子には馴染《なじ》まない。インターフォンに向かって「どうぞ」と言い、オートロックを解除すると西野はすらりと部屋に侵入してきた。涼子の中に入ってきた、あの夜のように。滑らかな肌触りを思いだし、涼子は顔を赤らめる。

「先日はどうも」

浅黒い肌に真っ白な歯を光らせた西野の挨拶《あいさつ》にどう答えればいいのだろう。会釈した涼子は、なぜお辞儀をするのか、と自分の卑屈さを苛立《いらだ》たしく思う。

そんな涼子を見て、西野が言う。

「どうやら日比野さんは〝かくれんぼ症候群〟のようですね」

「かくれんぼ症候群？」

「面と向かって言いたいことはあるけれど、言ってしまうと自分が迷ってしまうので隠れて相手に自分を捜し出させる。相手が追跡する影を見て自分の輪郭を認識するという、失見当識の一種です」

　涼子の医療知識ではついていけない話だ。中学生の頃、ノルガ共和国の領事館の医務官から教わった医療の素養は、主に外科の知識だった。精神科関連の用語は〝無駄だ〟というひとことで切り捨てるような、極端な教師だった。

　西野は続ける。

「僕の陽気さは、抜き身の刀のように相手を傷つける。だから闇で熟成された鞘《さや》が必要になるんです。ゆうべ僕は確信しました。涼子さんは僕の鞘になるべき女性です」

　初めて聞く比喩《ひゆ》に戸惑うが、どう考えても愛の告白にしか思えない。西野は涼子を見つめたが、反応がないことを確認し、声を上げて笑い始める。

「すっかり警戒されちゃったな。ご心配なく。今すぐに答えが欲しいわけではありません。僕は気長です。不眠症の夜は長い。気が短かったら、保たないんです」

　涼子はか細い声で反撃する。

「本当に不眠症なんですか？　この間はぐっすりお休みになっていましたけど」

　西野は明るい声で笑う。

「みたいですね。でも、一度不眠症だと思ったら、誰でも不眠症になってしまう。眠っている時は、眠りを認識できない。起きている時には誰でも不眠症ですし」

　言われてみればもっともだが、今の涼子には西野の屁理屈《へりくつ》に付き合っている暇はない。涼子が仕事に入ろうとしたその時、西野がひやりとした言葉を投げ掛けた。

「ところで例の未使用ソフトについては、どうするか決めましたか？」

ソフトウエアの名称がよぎる。リバース・ヒポカンパス、逆さ海馬。

涼子は動揺を悟られないよう、答える。

「先日のお話では、お返事は一週間のうちに差し上げればよかったのでは？」

「期限はおっしゃる通りですが、決断されていたら一週間待つ必要はありません。決まっていなければ、そう答えていただけば、今日のところはそれで終わりですし」

涼子はうつむく。そして、ぽつんと言う。

「では、もう少し時間をください」

「オフコース。勿論《もちろん》。僕は涼子さんの判断に従います。クライアントは神さまですので」

西野は、つけ加える。

「クリスマスも終わりましたので、今度は年明けに伺います」

え、もう帰るの？

そう思った後ですぐに、いったい私は何を考えているの、と不安になる。

西野はそんな涼子の揺れる視線を背中に受けながら、部屋を後にした。

十日後。仕事始めの午前十時ぴったりに訪問のベルが鳴る。涼子の胸が高鳴る。

開け放たれた扉から入ってきた西野は単刀直入に尋ねてきた。

「リバース・ヒポカンパス使用の最終判断まであと三日ですが、どうしますか？」

主語はないが、西野の言葉が何をさしているのかはすぐにわかる。

「まだ決めてません」

社交辞礼を省略し、いきなり強い視線に直撃され、動揺する。西野は静かに言う。

「その様子だと、日比野さんはヒポカンパスについて意識していないのではなく、意識しすぎて決めかねているようですね」

虚を衝《つ》かれて、涼子は聞き返す。「どういう意味、ですか？」

「そういう意味です」

西野の日焼けした笑顔が眩《まぶ》しい。

「契約外ソフトの使用料とのバーターを申し出た時、ヒポカンパスが焦点になっていなければ、涼子さんは即座に応じたはずです。それはあなたが使ってしまった契約外ソフト費用を捻出《ねんしゅつ》するための唯一の合理的な方法ですから。ヒポカンパスを使用するなら、新しく予算措置をしなければならない。でも、それもせず、あなたは単に保留した。その後、二回目の申し出も延期し、今日に至ってもいまだに保留し続けている。こうなるともはや使いたいと思いながらも、その結論を躊躇《ためら》わせている何かがある、と推測するしかない、というわけです」

西野の笑顔が涼子の心臓の搏動《はくどう》を速める。この人はすべてを見透かして、その上で私の境界線を破壊しようとしている。

涼子は気づかないふりをして、言う。

「それは買い被《かぶ》りすぎです。私は単に忙しいだけで……」

「嘘だ」

西野の鋭い言葉が涼子を切り裂いた。

「日比野さんはシステムの隅々まで把握されていますが、さすがの日比野さんも気づかなかったこともある。実はこのシステムにはクローズド・ログが残されている。システム上で何をしたか、後から全部把握できるんです。いつ、どこのサイトを見たかということから、どのような文章を作成したかまでを、システム導入時からすべて詳細に。ログを確認した結果、日比野さんは実に有能なシステム維持者でした。すべての添付ソフトについて月一度はチェックし、使用推奨期間に適切に使う。そんなあなたがヒポカンパスの重要度に気づかないはずがない」

それは検閲だわ、と抗議したくなる。だがその抗議が不当だということは、涼子自身よくわかっている。西野が閲覧した領域はビジネスエリア限定で、プライベートエリアではないのだから。そんなことになってしまったのは、涼子がビジネスエリアにプライベートを侵食させてしまったからだ。自分固有の境界線を見失うほどに。

涼子のこころの装甲が剝《は》がされていく。西野は容赦なく続ける。

「リバース・ヒポカンパスは逆さ海馬の名の通り、逆行性記憶消失ソフトです。ソフト自体の重要性、人格に深く関与する存在意義について、日比野さんが気づかないはずがない。その証拠にこのソフトの説明文書を何度も読み返している。ここ一年は三日に一度、僕が訪れてからは一日二度。それほど関心が高いのに使おうとしない。存在に気がつかないフリをして、デリートの判断は先延ばし。つまりこのソフトの使用こそが今の日比野さんの一番の関心事なのです」

涼子が張り巡らした防御線は西野の焼夷《しょうい》弾に焼かれ、全貌《ぜんぼう》が露《あら》わになる。心の砦《とりで》は崩れ落ちる寸前だ。その通り。西野の説明を待つまでもない。『逆行性記憶消失ソフト』たるそのソフトはほんの一面の性質しか認識されていない。

逆行性に過去の記憶を消す。だが本当にそれで充分なのか？

記憶を消すだけでは、不自然な空白が残ってしまう。ある時代の記憶が丸々欠落してしまったら、人は自分のアイデンティティを見失う。高校時代の記憶がすっぽり抜け落ちていたら、不安になるのは当然だ。そして自分自身の存在にも疑念を生じてしまう。

人という生命体は、連続した時間の中を旅している。過去の履歴が途絶えれば、自分が正常な生命体であるという認識も消失する。ではどうすればいいのだろう。解決策はシンプルだった。消去した記憶領域を他の記憶で埋める、ただそれだけ。その時、入れ替わりに本来の記憶は削除される。

それを実現するのがリバース・ヒポカンパスだ。このソフトのもうひとつの側面は偽りの記憶を海馬に植え込むことにある。描き上げた油絵の上に別の絵を重ね描きするように、消去された記憶領域を別の記憶で埋める。そうして過去の記憶の一部、あるいは全てを破壊し、新しい記憶を上書きする。これがそのソフトの実相だ。

記憶を操るソフトとは、すなわち人の過去を思いのままにするソフトでもあったのだ。

西野は、涼子の思考を追尾するように言い放つ。

「リバース・ヒポカンパスは人工凍眠の最も危険な面を露わにする。覚醒《かくせい》後のスリーパーの意思を、外部者が人工的に導入した記憶によって操れる。その場合、スリーパーの意思と尊厳は侵食される。それが涼子さん、あなたがこのソフトの使用を躊躇う最大の理由なんでしょう?」


西野の言葉にずたずたにされた涼子の中で、フラッシュバックのように記憶が甦《よみがえ》る。それは、一度は書き上げたものの、すぐに消去した涼子の論文のフラグメント。古い思考の化石の一部だ。その断片がなぜか今、西野の口からこぼれ落ちている。

西野は端整な顔をいっそう冷ややかに研ぎ澄まし、涼子の文章を朗々と語り始める。

――コールドスリープ法には重大な不備が存在しています。そのひとつが逆行性記憶消失ソフト〝リバース・ヒポカンパス〟の使用につき事前に本人の意思確認がされていないという点です。目覚め後のスリーパーの意思確認を担保としながら、その根拠が破壊される可能性がある。外部者が導入記憶によりスリーパーの意思を操れる可能性があるため、人権侵害になりかねず、目覚め後の二択を事実上無効化してしまうのです。ですから事前の意思確認が取れない場合、リバース・ヒポカンパスの使用は厳に謹しむべきですし、もし使用するのであるならば複数名の同席の下、実施されるべきです。けれども現状では、そうした選択をスリーパー自身が行なうことはできません。

西野の口から今、滔々《とうとう》と語られる言葉はかつて、涼子自身の書いたものに間違いない。だが、その文章はこの世に存在していないはずだ。涼子は保存せず、書き上げた直後に読み返し、すぐデリートしたからだ。それなのに、なぜこの人がこの文章を……。

西野は涼子の疑念を読みとり、言う。

「モルフェウス・システムには特別な仕掛けがあるんです。システム自体が人間の思考のミミックになるように設計されている。普通のコンピューターでなら短期メモリ、つまり思考過程は保存しなければ消去され、永遠に喪《うしな》われる。人の場合も同じシステムだと考えられている。短期メモリに相当するのが海馬の記憶です。海馬での記憶が保存されると永久記憶になると言われている」

何を言い出すの、この人。涼子の顔に怯《おび》えの表情が走る。西野は淡々と続ける。

「だけど本当にそうなのでしょうか？　忘れていた記憶の断片がふと甦るという経験は、誰もがあるはず。つまり短期記憶は単に取り出しにくい領域にしまい込まれるだけで、消失はしない。思念とは一枚の書類のようなもので、一度浮かんだ言葉は、人間固有の思考回路を電気インパルスが駆け巡った帰結です。すると、人に近づくためには、コンピューターも思考の断片を保存しなくてはならないのではないか。そう思いついた僕はこのシステムを作り上げた。このシステムには、表面上は保存されていないテキストが不可視領域に膨大に保存されているんです」

システム上で書いたテキストを閲覧できる？

涼子はその言葉を反芻《はんすう》したあとで、はっと気づいたように言う。

「ということは、このシステムで書いた私のメールも全部読んだんですか？」

西野は笑ってうなずく。涼子は西野をにらみつける。

「それは契約違反です」

西野は落ち着き払って首を振り答える。

「僕は契約を遵守しています。契約内容はこうです。〝システム内の閲覧を許諾する。但し個人メール領域の閲覧は許可しない〟。だから僕は、日比野さんのメール本体には指一本触れていません。別の契約もある。〝本システムではメール以外の領域に個人プライバシーは含まれないものとする〟。したがって僕の行為は合法です。涼子さんのミスは、ビジネス領域でプライベート領域の思考をテキスト化する作業を行なったという一点ですが、それは一般的には、ごく普通に行なわれている行為なので、責められることではありません」

涼子はうなだれる。論理上は公私混同した涼子の咎《とが》で、西野のロジックに隙はない。

西野は淡々と続ける。

「こうしたことは僕の周りではよくあることなんです。僕は見聞きしたものすべてを保存してしまう。目の前を通過する、すべてのものごとが忘れられない。なので入試だって会社業務だって成績は常にトップ。すべての領域を楽々とクリアしてきました。だけどこの〝忘れない〟という能力の威力はそんな程度には留《とど》まらないんです」

西野の言葉は刃のようだ。

「すべての情報を忘れないということは、相手を丸ごと取り込むことにもなる。それは時には、相手の実体すら凌駕《りょうが》してしまう。人は、自分で思っているほど優れた存在ではなくて、すごい勢いでいろいろなことを忘れている。そんな時、赤の他人から自分がかつて口にした言葉を聞かされると、幸せな気持ちになれる。自分でさえ忘れてしまった些細《ささい》な言葉を相手が保存しているということは、自分が大切にされているという誤解を生むから。もっともそれは、僕にとっては目の前にあるメモ帳を読み上げる程度のことにすぎないんですけど、ね」

シニカルな微笑を浮かべた西野を見て、涼子は黙りこんだ。西野は続ける。

「僕はこうやって浮き世を渡ってきました。希望や欲望や心情を把握して接近すれば、人間なんて思うがまま。そのせいか僕は自分の欲望を叶《かな》えたいという気持ちが薄い。その代わり、相手の欲望の実現に全力を尽くす。人は誰しも自分の本当の望みはわかっていない。だからそれを適切に理解して、正しい方向に導いてくれる相手に依存する。そして依存はいつしか被支配への願望に変容していく。こうやって僕は、自分の周りに小さな王国を築いてきた。だから昇進とか名声とか、そんな俗世の欲望は僕にとっては簡単すぎる。僕はもっと面白いゲームをしてるんです」

人の感情を弄《もてあそ》ぶのがゲーム？　非難するような涼子に、西野は肩をすくめる。

「人は僕にその内面をあからさまに晒《さら》し、僕はそれを自分の内部に保存する。するとその人がいなくても、その人と自在に会話ができる。だから僕は自分の内面を探索するだけで手一杯。これは最大の娯楽です。僕には寝ている暇なんてない。身体を維持するために必要最小限の活動をしたら、後は自分の内面に取り込んだ外部メモリを再構築することだけで二十四時間なんて、あっという間にすべて埋まってしまう」

涼子は西野の笑顔を、モンスターでも見るように見つめた。西野は言う。

「予想通りの反応ですね。僕の実態を他人に話せば、きっと今、涼子さんのような目で僕を見つめるだろうと思っていました。だから僕は、今日までこのことは、まだ誰にも話したことがないんです」

ふと気がついて、涼子は西野を問いただす。

「じゃあ、あのレストランも……」

アフリカン・レストランの夜。あれも偶然ではなく、涼子の心の底を読み取り、隠された願望を叶えてくれただけだったのか。

「もちろんあなたがノルガ共和国にいたことも、そこである医務官と出会い、強い影響を受けたことも知ってました。だからノルガの食事を出す店を探したんです。正直、桜宮にそんな店があるなんて、思いもしませんでしたけど」

——そんなことが……。

衣服をはぎ取られ一夜を共にした、あの時より裸にされてしまった気がした。

涼子は真っ赤になってうつむく。そんな涼子にとどめを刺すように、西野が言う。

「でも不思議ですね。どうして使わなかったんですか、リバース・ヒポカンパス。使えば年下の美少年をペットにするなんて、簡単なことだったのに」

次の瞬間、涼子の華奢《きゃしゃ》な手が西野の頬を打つ。そしてその手を引っ込める。

「ごめんなさい。でも、あなたがあんまり失礼なことをおっしゃるからです」

打たれた頬を押さえて、西野は白い歯を見せる。

「美しい女性に頬を打たれる。セ・ラ・ヴィ、これもまた人生。こうしたアクシデントは、記憶の海を漂うだけでは得られない。だから僕は、時折こうやって工国から散歩に出るんです」

余裕をみせながら、西野はもう一度、核心の質問を繰り返す。

「では下品でない気持ちで改めて質問します。なぜ使わなかったんですか、リバース・ヒポカンパス？」

涼子はため息をついた。もうごまかせない。涼子がモルフェウスに強い感情を持っていることなど、とうに見破られている。その上で西野の言葉はこう囁《ささや》きかけていた。

モルフェウスは涼了に憧《あこが》れていた、というささやかで都合のいい記憶を埋め込めば、彼はあなたから離れられなくなりますよ。

西野は視座を持つ死神で、剣を持つ戦士ではない。恐れる必要はない。涼子は自分に言いきかせる。だが、死の淵《ふち》にいる死神の囁きに反応した時、涼子の中で何かが死ぬ。

もうひとりの涼子とモルフェウスの共生は不可能なのだ。涼子は静かに答える。

「記憶を喪わせるのはその人を殺すことと同じだから」

自分の声が落ち着いて聞こえる。

西野は意外だ、という表情をした。腕組みをして考え込む。

何を考えているのだろう。西野ならわかっているはずなのに、と不思議に思う。

――ではリバース・ヒポカンパスはデリートします。記憶を書き換えることがスリーパーを殺すのなら、日比野さんにはその選択肢を取ることは不可能でしょうから。

そう冷たく言い放てば、簡単にとどめを刺せるはずなのに……。

涼子は両手を胸の前で組んで、西野の宣告を待つ。これで涼子の五年間は息絶える。

でも、それは仕方がないことだ。

世界は、すべての人が幸せになるようにはできていないのだから。

だが腕組みを解いた西野の回答は想像を超えていた。西野は白い歯を見せた。

「そんな表面的な倫理を気にしていたんですか。そんなこと、問題ありませんよ。両親が子どもを規範内で思い通りにするなんて、社会では当たり前なんですから」

「でも、過度の強制は虐待で、犯罪だわ」

「虐待、ならね。でも涼子さんの選択は虐待ですか？　むしろ、目覚めた子どもにそんな判断をさせる方がよっぽど残酷です。つまり坊やをスリーパー・システムに沈めた時点で、この坊やに対しては、社会全体が虐待を超えた扱いをしたんです」

西野はパソコンに歩み寄り、ブラインドタッチでURLを入力し画面を指さす。

そのフラッシュ・ラインを読んで涼子は愕然《がくぜん》とした。

ずらりと並んだリストは厚労省の科学研究費一覧だった。

『人工凍眠時の個体の成長ホルモン日内変動についての研究』『人工凍眠時の個体の腎《じん》機能低下の保全の研究』『コールドスリープ時の個体の脳波変動についての研究』『人工凍眠時の個体の心拍数増加要因の研究』『人工凍眠時の個体の栄養素流動経路の研究』『人工凍眠時の個体の精神波変動についての基礎的研究』……エトセトラ。

二十以上の科学研究が行なわれていて、それらはすべて未来医学探究センター所長の上司と大学研究室の共同研究だった。その七割は東京・帝華大との共同研究だが、モルフェウス覚醒《かくせい》時に協力体制を組んでくれる東城大学とのものは一件もない。

——何なの、これ。

呆然《ぼうぜん》と、そして憮然《ぶぜん》とする涼子に向かって、西野は言う。

「あなたの大切な坊やは、日本の医学研究の貴重な実験体です。本人の同意なくして行なわれる研究を担保しているのはたったひとつ、時限立法・人体特殊凍眠法の一文なのです」

キーボードを叩《たた》き新たな画面を出す。そこには何度も読み直した時限立法の人工凍眠法の骨子があった。西野が一文を指さす。

『凍眠選択者の公民権、市民権に関しては、凍眠中はこれを停止する』

「この条文に目敏《めざと》く貪《むさぼ》りついたアカデミズムのハイエナたちが跋扈《ばっこ》したのがこの結果です。今さら実験体の記憶を改竄《かいざん》したところで、誰にも非難はできない。みんな同じ穴のムジナ。『人工凍眠時の個体』の人格を無視しているんですから」

涼子はうめき声を上げる。「どうして、こんな……」

西野は白い歯を見せて笑う。

「この坊やはもう死んでいるようなものだから。坊やは社会に、圧殺されたんです」

「そんなことないわ。私はアッシ君の生命を維持しています」

西野は両手を広げて、やれやれ、という表情をする。

「日比野さんはまだ気づかないんですか。スリーパーは、死の隣国の住人なんですよ」

涼子が首を振り続ける様子を見て、西野は薄気味悪い笑みを浮かべた。キーボードを叩き、ふたつの単語を大きなフォントで画面に映す。スリーパーとリーパー（死神）。

「ほら、並べて見ればよくわかる。スリーパーの中には、リーパーが身を潜めている」

西野は無表情に言う。徹底的に逃げ道を奪い去る西野に、涼子は吐き捨てる。

「サディスト」

必死の一撃だが、西野にそんな刃が届くはずもない。

「光栄ですけど、違います。僕はリアリストです。女性はよくリアリストとサディストを誤認する。どうも女性は真実をつきつけられると、いじめられていると勘違いしてしまう生き物らしい」

手に入れた勝利をじっくり賞味する気などさらさらない様子で、あっさり告げる。

「では次回は三日後に。念のため申し上げておきますが、次はもう待てませんよ。物理的な最終判断期限ですから」

そして西野は笑う。

「これはリアリストの最終通告であって、決してサディズムの発露ではありません」

西野が帰った後に、自分が何をしていたか、記憶がない。終業のオルゴールが奏でられ、我に返って周囲を見回す。モニタを見ると今日の業務は済ませていた。

涼子は自分の習慣に感謝する。モルフェウスの棺《ひつぎ》に歩み寄り、水槽越しに撫《な》でる。ずいぶん長いこと。モルフェウスを見つめていなかった気がした。

──私はいったい、なにをしてるのかしら。

涼子はひんやりしたアクリルの窓に頬を寄せる。白い頬を涙が一筋、流れ落ちた。

気配に振り返る。セニョが一瞬、明るく光る。メール着信。

久しぶりのステルス・シンイチロウの登場だ。

涼子は震える手でメールを開く。そこにはたった一行の問いかけが記されていた。

──宿題は解けましたか、フロイライン？

このタイミングは告知なのか。天から降りてきた一条の銀色の糸に、すがりつく。

──解けた、と思いました。でもそれは自らの重さで自壊してしまいました。

そう書いて、こんな散文的な文章をロジックの権化、ステルス・シンイチロウに送るわけにはいかない、と思う。だがすぐに西野の笑顔を思い出す。

「不可視領域に膨大な書きかけテキストも保存されている」

だとしたら、今さら文章をデリートしたところで、無駄なことだ。

一度発した言葉はデリートできないのだから。

涼子は深呼吸をして胸に手を当てる。目を閉じ、メールの送信ボタンを押した。

メッセージが虚空に吸い込まれていくバキューム・サウンドが響く。その音を聞いて、自分が発した言葉に悔いがないことを悟る。

真理とは、それを行なった刹那《せつな》の瞬きの中でのみ、その輝きを露《あら》わにするのだ。

——だとしたら。

リバース・ヒポカンパスに対しても、このメールと同じように考えればいい。

ダイスを振るように、決定する。涼子の返信にすぐさま返事が戻ってくる。

「もしもそれが正解でないのなら、あなたは今、正解のすぐ側にいる。その地で井戸を掘り続けなさい」

涼子は返信する。

「どうしていつも適切な返事をしてくださるのでしょう。あなたは〝神〟なのですか？」

逡巡《しゅんじゅん》したが次の瞬間、送信する。迷うな。一度書いて消した言葉は弱気の表れ。

西野の存在が涼子の背中を押している。西野は、涼子が隠したいと願う弱点を容赦なく衝《つ》く。こうしている間にも、西野の前に露わになる情報は増大している。そうであるのなら、心に浮かんだことは送信してしまうに限る。

西野も神のひとりなのだ。そう、死神でも神には違いない。

抽象的な質問には回答が戻ってこないかもしれないと思った瞬間、メールが着信する。

「私は玉座に座り、ひとり呟き続けます。その呟きが多くの人の耳に届くかは問題ではなく、言葉を必要とするたったひとりの聴衆《オーディエンス》が聞き遂げれば、それでいいのです」

〝たったひとりの聴衆《オーディエンス》〟とは涼子のことなのか。唐突な指名に違和感を覚える。ふたりの間で言葉のキャッチボールが始まった。

「たったひとりにとっての神は、真の神ではないのでは？」

――私は、あなたの前に立つひとりの人間です。

「神ではないのですか？」

――神という概念は解析不能だから、否定も肯定もしません。

「では、あなたは何者なんですか」

――真理を語る者です。ただしその真理は私が考える真理であり、ほんものの真理かどうかは定かではない。だがその真理に共鳴者が現れれば本当の真理になる。信じる者がひとりとふたりの間にはそれくらい大きな隔たりがあるのです。

「私は真理にたどりつけますか？」

――いつか必ず。フロイライン、あなたは偽りの真理にたどりついたと自覚しました。真理を覚知しなければ偽りの真理は認識できない。

「曾根崎教授に真理が見えているのですか？」

――ええ。ただしそれが真理かどうかの保証はありませんが。

詐欺師だと思う。だが今の涼子は曾根崎伸一郎にすがるしか道はない。

確かめる代わりに、涼子は曾根崎伸一郎の真贋《しんがん》を問うた。

「なぜ曾根崎教授は自分の言葉を信じられるのですか」

ステルス・シンイチロウは沈黙した。やがて呟くようなメールが返ってきた。

――私の部屋は凍え死ぬくらい寒い。けれども人の存在が言葉と同質であるなら、終身刑を宣告された者でも凍えることはないでしょう。

涼子は難解なメールを前にして沈黙せざるを得なかった。涼子の混乱を予見したかのように、きっかり三分後、もう一通、たった一行のメールが届く。

「窓さえあれば、私は自由なのです」

はぐらかしているのか？　つきつめるのは今しかないと直感し、即座にメールを打つ。

「もう一度聞きます。あなたは神ですか？」

一時間が経過した。饒舌《じょうぜつ》なステルス・シンイチロウが沈黙している。涼子は指先が凍えて動かなくなるまで待ち続け、それからシステムをシャットダウンしようとした。その瞬間、着信メールの音が響く。涼子は、小声でメールを読む。

「この世界では、私自身の存在は必要とされず、私の言葉のみが存在する。絶対公理として、神と生身の人間は同一座標には共存し得ない。では、私は何者なのか」

彼にしては珍しい、非論理的で無用な行を開け、最後の一行にはこうあった。

「フロイライン、この謎を解きなさい。その時あなたは、答えにたどりつくでしょう」

涼子はステルス・シンイチロウの視界から自分の問いが消滅していることに気づき愕《がく》然《ぜん》とする。

私の問いは消滅してしまった。それじゃあ、わたしはどこにいるの？


三日後。午前十時きっかりに、西野はいつものように軽やかな足取りでやってきた。

「今日が、例のソフト使用決定の最終期限です。このソフトは体内への影響が未確認ですので、目覚め前に使用期限が設定されている。数日後、佐々木アツシ君は目覚めの最終段階にはいる。巡航高度を下げ、着陸体勢に入る。もう本当の限界です」

西野の言葉に、涼子はうなずいて言う。

「記憶を喪《うしな》わせるのは、その人を殺すことです」

西野は答える。

「三日前にも同じことをおっしゃってました。ならばスリーパーの保護者としてリバース・ヒポカンパスに対する判断は考えるまでもないですね。どうして迷ってるフリをなさるんですか？」

──知ってるくせに。

究極のサディスト。涼子が回答を意識していると知りつつ、涼子を嬲《なぶ》っている。

「記憶を喪わせればモルフェウスは殺される。記憶を残せば私の五年間が抹殺される、つまり私が死ぬことになる。私たちはどちらか片方が死ななければならない運命なの。それなら少しくらい迷っても当然でしょう？」

西野は涼子の言葉を反芻《はんすう》し、口の中でぶつぶつ呟《つぶや》く。顔を上げると明るい声で尋ねる。

「わかりやすい譬《たと》えですけど、そんな感傷的な考え方は、僕にはちっとも馴染《なじ》みませんね。実に興味深いけれど、解析してる暇はないんです。どうかご決断を。僕はどっちでもいい。とにかくちゃちゃっと決めちゃってください」

涼子は上目遣いに西野をにらむ。だが凝視は長くは続かなかった。

「無理よ、そんなことできない」

涼子の答えは予想済みだったのか、西野はポケットから白いサイコロを取り出し、唇を尖《とが》らせダイスに息を吹きかけながら言う。

「それじゃあ運を天に任せましょうか。人生は一天地六のダイスの目のまま風任せというのも、なかなか粋《いき》ですからね」

西野はダイスを宙高く放り投げる。

「奇数ならキープ、偶数ならデリート。さあ、運命はどっちだ」

床に落ちたダイスは独楽《こま》のように回転する。涼子はダイスに手を伸ばし、奪い取る。

「他人の人生を偶然に弄《もてあそ》ばせるなんて許さない。あなたがサイコロを投げた瞬間に、私が決めました」

涼子は西野を見つめて、そのまま言い放った。

「リバース・ヒポカンパスはデリートして下さい」

西野は一瞬ぼんやりした。だがすぐに涼子の確信を侵食しようと、柔らかい口調で語りかける。

「いいんですね？　システム上、デリートしたソフトの再インストールは不可能です。後で気が変わったと言っても、取り返しはつきませんよ？」

西野の未練がましい口調を聞きながら、涼子の心の片隅をそよ風が吹き抜けていく。

空には灼熱《しゃくねつ》の太陽。どうして砂漠の空はあんなに青いのか、いつも不思議だった。

取り返しがつかないのは、いつでもどこでも同じこと。

黒人メイドのミエルが反乱軍の攻撃に遭遇したのは、砂漠の入口に咲き誇るノルガの花、ラベンドールを摘みに行ったからだ、と誰かに聞かされた。

その前日、涼子は、ラベンドールの青い花を見たい、とメイドに駄々をこねていた。

忘れていた記憶のかけら。自分のひとことが取り返しのつかないことを引き起こしてしまった。幼かった涼子は、その事実を直視できずに、たまたまその時に、側にいた優しい人のせいにし、その人を責めた。そして責めた理由を忘れた。

私の人生はとっくに取り返しがつかないんじゃないの。

涼子はもう一度、決然と言う。

「ソフトはデリート。この決断は変わりません」

涼子の脳裏をステルス・シンイチロウの言葉がよぎる。

——スリーパーをひとりぼっちにしてはならない。

わかったわ。

目の前にぼんやりと張っていた煙幕が、一気に晴れていく。

そう、答えはいつも、自分の言葉の先にあったのだ。

「私はもう一度あなたにお目に掛かります。だけど、それまではしばしのお別れです」

涼子がそう告げると、西野は立ち上がり、右手を差し伸べる。

「そう言ってもらえると嬉《うれ》しいですね。たとえ永劫《えいごう》のお別れでも、一縷《いちる》の希望さえあれば耐えることができますから」

涼子は不思議そうな表情になる。

「私はウソは言いません。リバース・ヒポカンパスはデリートしますし、もう一度あなたにお目に掛かることになるでしょう。それは、運命なんです」

西野をじっと見つめると、西野も見つめ返したが、涼子の真摯《しんし》なまなざしを受けとめきれず、うつむいた。

唇の端に精一杯の虚勢をこめて、西野はシニカルな微笑を浮かべる。

「まさか涼子さんは、僕が坊やが目覚める時にテクニカル・サポートしてくれるだなどという、ムシのいいことは考えてませんよね。リスクの高い目覚め時に必要なのは医療チームで、そこは東城大学医学部付属病院の全面的なバックアップが契約条項に組み込まれてます。だから僕が、坊やの目覚める時にのこのこやってくるなんて、絶対にあり得ません。それでももう一度、僕は涼子さんにお目に掛かれるというんですか？」

涼子はうなずく。そして挑発的な目の色で、言い放つ。

「私の依頼が何かという、この謎を解いたらあなたの勝ち。その時は何でもいうことをききます。でもあなたがその謎を解く前に私の依頼が行けばあなたの負け。そうしたら私の願いを叶《かな》えてください。こうすれば、私がウソをついても、あなたにその気があれば必ずもう一度、私に会えるわ」

西野は、鋭い視線を涼子に投げかけると、肩をすくめる。

「楽しませてくれますね。こんなにわくわくさせられたのは四半世紀ぶりかな。今は涼子さんのオフェンスだけど、僕に解けない謎などありえない。わかりました。その謎を解き、もう一度僕の腕の中で泣かせてあげましょう」

「お待ちしています」

涼子は会釈をした。それから西野は涼子の目の前でキーボードを叩《たた》き、リバース・ヒポカンパスを削除した。ほんの数秒のできごとだった。終わってみると、あまりにあっけなく、これまでの逡巡《しゅんじゅん》は何だったのだろう、と虚《むな》しく思えた。

そして西野は虚《うつ》ろな笑顔を残し、涼子の前から姿を消した。

涼子はぼんやりと宮殿のアクエリアムを眺めている。

半透明の窓から見える、モルフェウスの端整なプロフィールを見つめた後、モニタの前に座る。そして、ステルス・シンイチロウからの膨大な量のメールを読み返す。

本当はあなたにも勝てたわ、と涼子は呟く。たぶんあなたは、リバース・ヒポカンパスの存在を知らない。『凍眠八則』を成立させるには、このソフトの存在は必須《ひっす》なの。だけどその使用は重大な人権侵害につながる。そこを衝《つ》けば、あなたの不敗神話は崩壊したはずよ。

涼子は儚《はかな》い笑顔で吐息をつく。

――でもやっぱり負け惜しみ。使わなかった戦略は、なかったことと同じ。それに、使わなかったのではなく、使えなかっただけなのだから。

涼子は、自分の呟きにはっとする。こんな根源的なことに曾根崎教授が気づかなかった、などということがありうるだろうか。対話の相手が隠し持った刃を、賢明で嗅覚《きゅうかく》の鋭いステルス・シンイチロウが認知しないなんて……。

もしも曾根崎教授が、涼子の刃に気付いている、と仮定したらどうだろう。

その光の下で、このメール群を見返してみたら……。

涼子の脳裏に閃光《せんこう》が走る。その瞬間、すべてが見通せた。曾根崎教授の示唆した解は、涼子の秘めた最終戦略によって、彼自身が一敗地に塗《まみ》れた焦土の中から立ち上げられていたのだ。

涼子は呆然《ぼうぜん》とした。自分が敗北した後の戦略を、対戦相手にわざわざほのめかすだなんて……。涼子は、徹底的な敗北感に捉《とら》われながら、静かにメールを打ち始める。

――謎は解けました。私はあなたが導いてくれたその解に従います。もうスリーパーをひとりぼっちにしません。

即座に返信が戻ってきた。

――本当にそうなさるおつもりですか？

――もちろんです。

長い間。ステルス・シンイチロウが考えている。

次の瞬間、メールが着信した。

――あなたの勇気に敬意を表します、フロイライン。でも、あなたはひとりぼっちではない。私があなたを見守り続けます。

涼子は無言で、その文字列を見つめた。

この瞬間、モルフェウスの海馬は保存され、空間における質量保存の法則に従い、涼子の感情は息を引き取った。かくの如く、この世界は一瞬の生死が交錯する綾織《あやお》りの中で奏でられる、美しい旋律の破片からできている。

涼子は、半透明な水槽の窓に瞳《ひとみ》を凝らし、眠るモルフェウスを眺めた。サバンナに沈む夕日を見るような、遠い視線で。

5. グレイ・ゴー・アウエイ　二〇一五・〇四

春が近づいたある朝に、涼子は宮殿の前庭で尾の長い鳥を見た。
ほの暗い夜明け前、その鳥は低く、そして高く鳴いた。
グレイ・ゴー・アウエイ。
闇よ、去りなさい。
自分の名を呼び、夜を遠ざける。涼子はその鳥を、朝告げ鳥と呼んでいた。
日本にいるはずのない鳥が目の前に現れた。それは啓示だった。

目覚めを前に、涼子の周辺がざわついていた。西野の出現がきっかけだった。西野は涼子の周りに張り巡らされた雁字《がんじ》搦《がら》めの鉄条網を破壊した。それは痛みを伴ったが、同時に涼子の胸を締め付けるような、透明な拘束からも解き放ってくれた。西野は涼子に選択を強いたが、それを西野が強いたと表現するのはアンフェアだ。どのみち現在の社会機構が破断点を涼子につきつける運命にあったからだ。だが涼子には西野に強いられたとしか思えなかった。そしてそうした偏った印象を持ったことこそが、西野が涼子の宿命なのだという証明になってしまった。

だが、涼子はそのことには気付かず、西野の暴虐を憎み、そして惹《ひ》かれた。

リバース・ヒポカンパス、逆さ海馬と呼ばれる逆行性記憶消失ソフトの削除を決めた時、涼子は自死を選択したことになった。選択を先延ばしにし続けた理由を、涼子自身に思い知らせた西野が、涼子を自死させたのだ。

だが、今、涼子の肩は軽い。過去の自分を捨て去ることは、多かれ少なかれ、現在を生きる人間なら誰でもやっていることだ。ひとつの恋が終われば、自分の中に墓標を作り、相手の死を望む。それが叶《かな》わなければ過去の自分を死に導く。それは生命維持のための必要悪なのだろう。

モルフェウスの虜囚、涼子の瞳《ひとみ》には、自分のいないモルフェウスの未来が映っていた。


電話の音が響いた時、涼子は心臓が潰《つぶ》れるかと思った。思い浮かんだのは西野の冷たい笑顔だ。ここ数日の成り行きからいけば、ごく自然な連想だった。

西野は謎を解いたのだろうか。だとしたら、この賭《か》けは涼子の負けだ。

受話器を取り「もしもし」という声を耳にして、全身から力が抜けた。

声の主は男性だったが、張りのある声には聞き覚えがなかった。

誰だろう。涼子はおそるおそる尋ねる。

「未来医学探究センターですが」

一瞬、間があって、相手ははきはきとした口調で名乗った。

「はじめまして。私、東城大学医学部総合外科統御学教室の佐藤《さとう》と申します」

誰？　涼子は黙り込む。相手は涼子の逡巡《しゅんじゅん》を感じ取ったように自己紹介を追加する。

「高階病院長から佐々木アツシ君の回復システムのサポート役をおおせつかりました。つきましては、早速ご訪問したいのですが、ご予定はいかがでしょう」

涼子は、ロマンスグレイの小柄な高階病院長の顔を思い浮かべ、即答した。

「当施設は佐々木君の生命維持に関する事案が最優先です。ですので、佐藤さまのご都合がよろしい時に、いつでもどうぞ」

「今は午前九時ですが、十一時にうかがう、ということでよろしいでしょうか」

「もちろんです。お待ちしております」

電話を切ると、立ち上がり深呼吸をする。停止していた時が動き始めたのを感じる。

東城大からの正式な使者。佐藤、というありふれた苗字《みょうじ》は、涼子が検索した過去のカルテの中にもたくさんあった。フルネームを聞かなかったのは迂闊《うかつ》だった。

東城大から車で三十分。二時間後という時間設定は初めての訪問としては妥当な設定で、手際がよい。それは調整役の性質で、横暴で独断専行的な上司の下で働いていたか、あるいは今も継続して働いているかのどちらかに思えた。

五分遅れで姿を現した佐藤は、部屋に入る早々、謝罪した。

「出掛けに一件、緊急オーダーが出てしまったので少し遅れてしまいました」

「ご心配なく。当方は時間はたっぷりありますので」

「遅刻したので、ちっこく謝罪します」

佐藤は〝ちっこく〟と言いながら小さく頭を下げる。

ダジャレよね。でもどう反応すればいいの？

笑うタイミングを失して動揺する中、佐藤は淡々と事情を説明し始める。

ダジャレじゃなかったのかしら、と迷う。

佐藤を観察する。三十代後半か。細身で身のこなしは軽そうだが、彼を取り巻く周辺環境はそのナリに反比例するかのように重苦しそうに思える。

「佐藤先生は外科のお医者さんなのですか？」

手渡された名刺を見ながら、佐藤伸一《しんいち》、と名前を心に書き留め、さぐりを入れる。

佐藤は低いがはっきり聞き取れる声で答える。

「総合外科統御学教室という名称は聞きなれないでしょうね。私は救命救急センターに勤務していたんですが、東城大が民事再生法を申請した時、不採算部門を切り捨てよと指導され、潰れてしまったんです。当時、私は責任者でした。ですが市民の要請は強く、やむなく外科学教室を統合し、総合外科統御学教室が立ち上げられたのです。対象は外科全般です」

「救急だけでなくて外科全般、ですか？」

うなずく佐藤を見て、涼子は左手首のケロイド痕《こん》を撫《な》でる。怒号の修羅場をくぐりぬけ、私は生きのびているけれど、助けてくれたあの救急チームはもう無いのね。

涼子の胸に、切ないメロディの欠片《かけら》が一瞬、流れた。

カルテから桜宮の医療、そして東城大学医学部の歴史を俯瞰《ふかん》していた涼子の目には、国手と謳《うた》われた稀代《きたい》の名教授・佐伯清剛《さえきせいごう》病院長が二十年以上前に目指した外科の分化は時代に逆行し、佐伯総合外科学教室は、今や〝統御〟という余分な修飾語を身に纏《まと》い、「総合外科統御学教室」として復活しているという、その流れが時代の皮肉に映る。

だが、そんな感傷に浸ってはいられない。喫緊の問題はモルフェウスに関わることで、大昔の大学病院が目指した理念など、どうでもいい。

涼子は単刀直入に尋ねた。

「先日、高階病院長を訪問し、人工凍眠からの復帰に東城大学医学部の助力を要請しました。でもお見えになるのが外科の先生とは聞かされていませんでした。なぜ高階病院長は佐藤先生のような外科の先生を派遣されたのでしょう」

佐藤は涼子を見つめ、小さくため息をつく。

「どうして私の周りには、はっきりものを言うタイプの女性ばかりなんだろう」

言葉を聞きとがめる暇もなく、佐藤は訥々《とつとつ》と語り始める。

「お尋ねしますが、あなたの目には高階病院長はどう映りましたか？」

「どういうことでしょう？」

「高階病院長の率直な印象を尋ねているんです」

「印象……誠実な紳士、という感じでしたけど……あの、違いますか？」

佐藤はため息をついた。そして力なくうなずく。

「誠実な紳士であることは、まあ間違ってはいません」

「では、どうして……」

そんなことを尋ねるのか、という涼子の質問を封じるように、佐藤は言う。

「ですが、丸投げ大王、という異名もあるんです。高階病院長は誰にでも平等に接し、誰の言葉にも公平に耳を傾ける。そして本意を理解すると、業務を達成できる人材を見繕って全権を委任して問題を解決させるんです」

「素晴らしい上司さんですね」

「その通りなんですが、まさにそこが問題なんです」

穏やかな表情の佐藤が前かがみになり、訴えが熱を帯びる。

「依頼者から見ればとても誠実です。でも依頼を丸投げされた立場から見たら、いったいどうでしょうか。一度信頼を得ようものなら、次から次へと五月雨《さみだれ》のようにいろいろな難題が投げかけられてくる。依頼をひとつ済ませたら、翌日には依頼ファイルが二冊、机の上に置かれている。それは〝丸投げ大王の宅配便〟と呼ばれてますけど」

「この業務も、高階病院長から丸投げされたんですか？」

佐藤は静かに首を振る。

「残念ながらこの件はもっと不幸な案件です。高階病院長が丸投げした相手は田口先生で、田口先生は小児センターの如月看護師長に丸投げし、如月看護師長は佐々木君の現状と目覚めの日に必要な物品や労力の理解、それから当日、いかなることが行なわれるのかについて把握し、なぜか私にそのエッセンスを伝えてきた、というわけです」

「素晴らしいチームワークなんですね」

佐藤の肩ががくりと下がった。雑用の終着駅のような佐藤の全身からにじみ出る疲労感を見て納得する。佐藤の方も涼子の理解を感じ取ったらしく、がらりと口調を変える。

「これは個人的な愚痴ですので、ひとまず置いておきます。今は佐々木君の状態と、目覚め時にどのようなリスクが生じるか、手短に教えていただけますか」

涼子はうなずき説明を始める。佐藤はひと通り聞くと、要約してみせた。

「つまりヒプノス社の人工凍眠システムは、呼吸、心拍を停止し、ボディスーツで覆い、周囲を栄養素を運ぶメディウムで充《み》たす半透膜方式なんですね。そうなると、目覚めの際に存在するリスクは人工心肺からの離脱時と同等ですから、スタッフとして助力できます。今やジェネラリストたることが推奨される外科医は、あらゆる領域に対応すべく養成されていますから、人工心肺からの離脱も業務範囲内ですし、トラブル時にも対応できそうです。念のため、今お気づきの問題点を簡潔にお知らせください」

涼子は項目を列挙した。それは長年横臥《おうが》していたのと同じなので、筋肉や骨が弱まっている可能性があるが、筋電位を流し対応しているのでどの程度問題かわからないこと、メンタル面でのクライシスは影響が想定できないこと、の二点に集約された。

「つくづく高階病院長の差配は適切ですね。目覚め後のメンタル・サポートには田口先生が最適です。眠りに就く前に幼児メンタルケアを担当してますから、これ以上の配役はありません。サポート役の如月看護師長も、かつて入院時に佐々木君と縁の深い看護師です。今回の目覚めに対応するメディカル・チームとしては最良の編成でしょう」

「依頼には本当に完璧《かんぺき》に対応していただいたようですね」

佐藤はうなずく。

「ええ、そりゃあもう。カンペを見たくらいに完璧《かんぺき》です」

シャレかしら？　今度こそシャレよね？　だったら笑ってあげないと……。

涼子は頬に引きつった微笑を浮かべるのが精一杯だったが、佐藤はまったく意に介さない様子で、あっさり続ける。

「要は人工心肺離脱を実行すればいいんですね。システムを見せていただけますか」

「もちろんです。どうぞこちらへ」

判断が速く簡潔。涼子は安心感に包まれ、佐藤を地下の神殿に案内する巫女《みこ》役に徹することにした。涼子はゆったりした安心感の中、佐藤に対して感じた唯一の瑕疵《かし》について、心の中で密《ひそ》かにとがめ立てしていた。

ダジャレならダジャレだとはっきりして欲しいものだわ。

佐藤は一時間ほど地下室に滞在し、質問を重ねた。問いに答えるうちに、モルフェウス・システムが、単純な原理で構築されている複雑系であることを思い知らされた。

佐藤はひとこと残して部屋を去った。

「日比野さんの医学に対する理解度は大したものです。一年目の研修医よりよっぽど現場で役立ちそうです。お世辞抜きに保証します。もっとも今の研修医のレベルが低いんですが。まったくあいつらと来たら、指示がないと動けない連中ばかり、眺めているとチュッパチャプスを投げつけてやりたくなります」

何故にここで飴《あめ》？　涼子は不思議に思うが追及せず、会話は途切れた。佐藤が退去する直前の話し合いで、目覚めの日は四月十一日に設定された。

二月後、涼子の世界はがらりと変わり、その変化はいろいろな言葉で表現されることだろう。佐藤医師が訪問した翌日、涼子は自分用のノートパソコンを購入した。

とにかく西野の監視から逃れたかったのだ。

この、赤い小型のPCはとても気に入った。新しいPCはたいていは多少の違和感を醸すものだが、このPCにはそれがまったくなかった。

可愛い子、と涼子は呟《つぶや》く。

さっそく、目覚めの日の表現を羅列してみる。それがこのPCでの初仕事だ。

モルフェウスの心拍が再開する日。モルフェウスが目覚める日。モルフェウスの人権が回復する日。時限立法『人体特殊凍眠法』が廃止に向けて始動する日。涼子が業務終了に向け、残務処理に向かう日。涼子の日常業務形態が大きく変化する日。未来医学探究センターが本来業務変更の検討を開始する日。

いくらでも書き連ねることができそうだ。

涼子とモルフェウスが無関係になる日。そして……

日比野涼子の存在がモルフェウスの中から消滅する日。

涼子は文字列を凝視し、保存せずシャットダウンした。そして受話器を取り上げる。


一時間後。地下室に姿を現した如月翔子のいでたちはジーンズに革ジャン。背中には金の髑髏《どくろ》の刺繍《ししゅう》。涼子は一瞬当てが外れた気持ちになったが、すぐに気を取り直す。

ひかりの女神が背中に死神を従えてくるなんて、モルフェウスの未来は明るいわ。

涼子は佐藤を神殿に招きいれた時を終焉《しゅうえん》の始まりと定めた。佐藤が地下の神殿に足を踏み入れ、あれこれ実務的な質問をし、それに答えた時、神殿の城壁は瓦解《がかい》したのだ。

その瞬間、涼子の目の前から、守護してきたモルフェウスが姿を消し、代わりに目覚めを待つひとりの少年、佐々木アッシが横たわっていた。

神殿の守護神が落城を覚悟した。仕方がない。涼子の口からは抵抗なく佐々木アッシ、という固有名詞が出てしまったのだから。

翔子は相変わらず、くるくるとよく動く視線で、涼子の輪郭を切り取っている。

「お久しぶり。アッシの目覚めの日が決まったって佐藤先生から聞いて、涼子さんに連絡を取ろうと思ったところへ、ドンピシャのタイミングのコール。涼子さんって素敵。でもさあ、佐藤先生はくっだらないダジャレばっかり言ってたでしょ。あれさえなければいい先生なんだけどねえ」

やっぱりあれはダジャレだったのか、と脱力した涼子は、今にも抱きついてきそうな勢いで語る翔子に眩《まぶ》しげに目を細め、静かに言う。

「お忙しいところ、ありがとうございます。今日、如月さんをお呼びしたのは、ひとつお願いしたいことがありまして」

翔子は大きな目で涼子を見つめ、ひとこと、答える。

「いやよ」

涼子は驚いて翔子を見つめ返す。依頼前から拒絶されるなんて思いもしなかった。翔子は間髪を容《い》れず続ける。

「そんな他人行儀な口の利き方をされる人のお願いなんて、聞きたくないわ」

目が笑っていた。涼子の肩がふっと軽くなった。翔子は続けた。

「ね、翔子って呼んで。それからお願いだからその堅苦しい口調は止めて。他のことならともかく、これから話し合うのはアッシのことでしょ。あたしはアッシが眠りに就く前のことをよーく知ってる。涼子さんは眠ってからのアッシのすべてを知ってる。だからもっとざっくばらんに話しましょうよ。だってアッシってそういう子なんだもの、あたしたちがこんな調子だったら、目覚めたアッシはきっと戸惑っちゃうわ」

涼子はうなずきながら、心の奥底がざわめくのを感じる。

――アッシって、そういう子なんだもの。

涼子はアッシの隅々まで知っている。数値化し、そのデータの変化を諳《そら》んじることもできる。だが涼子は本当のアッシのことは何も知らない。

ひかりあふれる翔子の言葉を前にして、涼子の内にくすぶっていたわだかまりは一瞬にして溶けた。滑らかに言葉が流れ出す。

「わかりました。それじゃあ翔子さん、お願いがあるの。目覚め後のアッシ君の生活のサポートを翔子さんにお願いしたいんです」

翔子の目が見開かれ、え、と言ったきり絶句した。ごくんと唾《つば》を飲み込み、答える。

「それって涼子さんはやってくれないの？」

涼子は首を振る。

「サポーターがスリーパーの覚醒《かくせい》後に接触することは、法律で禁止されているんです」

「あんなにアッシのためにがんばってくれた涼子さんが、日覚め後に全然会っちゃダメだなんて、そんなのおかしいわ。もしもお世話になったお礼をひと言も言わないだなんて、そんな不義理をアッシがしたら、その時はとっちめてやる」

涼子は黙りこむ。日を細め、翔子の激情を眺める。うらやましい。こんなにまっすぐに自分の気持ちを表せたら、どれほどラクだろう。

「そう言ってもらえただけで私は満足です。でも考えてみてください。五年間お世話をした人間が側にいたら、そしてそれを世話になった人間が知っていたら、その人には逆らえなくなってしまうでしょう？　だから直接の接触は禁じられるんです」

抗議を続けようとする翔子の機先を制し、涼子は続ける。

「移植ドナーの場合も誰が提供者か知らせません。それと同じことなんです」

「でも、涼子さんは本当にそれでいいの？」

翔子はまっすぐ本質を攻めてくる。それは、ひかりの領域の人間が持つ本能だ。

苛立《いらだ》ちを隠しきれず、涼子は答える。

「私が、覚醒後もアッシ君の面倒を見ようと思えば、やれる方法もあるんです」

「え？　じゃあなぜそうしないの？」

「『凍眠八則』の第五項を適用して、アッシ君の過去の記憶を消去し、覚醒と同時に昔のアッシ君には死亡宣告すればできます。でも、そんなこと、できますか？　凍眠前のアッシ君をご存じの翔子さんなら、それくらい、わかりますよね？」

沈黙がふたりを覆った。やがて翔子は自分のこぶしでこつんと頭を叩《たた》く。

「ごめんね、考えなしにいろいろ言っちゃって。あたしってば、いっつもこうなの。考えたら今のアッシのことを誰よりも考えてくれているのは涼子さんだもんね、そんなことくらい考えつかないわけないわ。ダメね、あたしって」

肩をおとしてうつむいていたが、しばらくするときっぱりと顔を上げた。

「検討してみる。でも、少し時間をちょうだい。そうだなあ、一週間。そっちも急いでるだろうけど、引き受けるからにはいろいろ考えないと無責任になっちゃうし」

「もちろんです。それより、たった一週間で大丈夫ですか？」

翔子はうなずく。

「これは保留ではなくて前向きの検討。あたしひとりでは無理なんで、いろんな人にどれくらい助けてもらえるか聞きたいから、即答できないだけ」

涼子は眩しい光を見るように、翔子を見つめた。この女性《ひと》は、こうやってこころを開いて周りを信頼して生きていくのだろう。私にはできない。

羨《うらや》ましく感じながら、涼子は自分の人選が正しかったことを確信した。

「そうとわかったら、とっとと仕事にかかるわ。やらなくちゃならないことがたくさんありそう。結論が出たらまた来ます。ＯＫでもダメでも、必ずくるから」

翔子は立ち上がると、涼子の返事を待たず、風のように神殿を去った。

ちょっと待って。涼子は翔子を呼び止めようとした。そのとき初めて涼子は、翔子にもっと強く、涼子がアッシの面倒を見るべきだと言ってもらいたかったのだと気づく。たとえその提案に対して自分がうなずくことは絶対にない、とわかっていたとしても。

涼子は吐息をついて、すとん、とソファに腰を下ろした。

――何だか、疲れちゃったな……。

三日後、翔子は涼子の許《もと》を訪れた。

「いい返事を持ってきたわ」

翔子は、涼子の顔を見つめ、続ける。

「基本的に了解。あたしがアッシの面倒を見るのが一番よさそう。でも現実に考えると、細かな問題が出てきちゃって、ひとつひとつ詰めないとダメ。あたし自身の仕事のやり方も変えるけどいろんな人に頼らなくちゃ。ひとりで抱え込んだら沈んじゃう」

涼子は翔子の明るい答えを聞いて、ほっとする。翔子は続ける。

「あたしってバカだからさ、現実にぶつからないとわかんないの。これからいくつか問題を挙げるけど、涼子さんに解決してもらいたいものもあれば、できないものもあると思う。でも気にしないでどんどん意見をいってね」

翔子は大きな目で涼子を見つめた。

「じゃあ、いくわね。まず最初に、アッシにご両親の離婚について、どうやって伝えればいいのか迷ってるんだけど、何かいいアドバイスはないかしら」

涼子は即座に首を振る。

「ごめんなさい、それはわからないです。目覚める前のアッシ君がどんな子どもだったのか、そしてご両親がどういう方なのか、全然わからないので」

「OK。その通りね。難題だけど、これはあたしが何とかしなくちゃならないわけか。でもその調子でお願いね。ダメなものはダメといってくれれば、問題が整理されるから。

次。目覚めの後に、いろいろなリバウンドが起こりそうだけど、その時はどうすればいいのかしら？」

涼子はうなずく。

「パニック障害とか、拘禁症状についてはひととおり調べましたけど、世界初のケースなので、どんな反応が起こるか、わかりません。ごめんなさい、役立たずで」

翔子は激しく首を振る。

「そんなことない。これからも時々相談に乗ってもらえるとうれしいんだけど」

涼子はうなずきながら、その返事が偽りであることを隠した。翔子は大雑把な問題から細々としたことまで大小取り混ぜ涼子に質問し、うなずき、反論し、両手を広げ立ち上がり、議論を重ねた。質問は支離滅裂で行きあたりばったりに見えたが、話し合いを終えて振り返ってみると、そこには美しい一筋のロジックが垣間《かいま》見えた。

涼子は目を瞠《みひら》いて、翔子を見つめる。

——この人って、すごい。

翔子は立ち上がる。

「いろいろありがと。とりあえずはっきりしたことと、新たな問題がわかったから持ち帰るわ。でも、ぐずぐずしてられないのよね。目覚めまであと十日だもんね」

涼子は、一番気にしていることを尋ねた。

「アッシ君はどこに住むんですか？」

「最初はオレンジ新棟二階の小児センターで様子を見る。肝心のレティノのチェックもあるし、アッシにはなじみの場所だから、安心すると思う。二十四時間、看護師も詰めているし」

予想通りの答えにほっとして、本当に聞きたいことを尋ねてみる。

「でも入院させられないでしょう？　その後はどうするんです？」

「ぎりぎりまでアッシの両親とコンタクトを取るけど、最悪の場合はあたしのアパートで一緒に住もうと思ってるの。昔、姪《めい》っ子を夏休みの間預かって、その時はチビどもにはわりと好評だったから、うまくやれると思うんだ」

翔子は、つけ加える。

「あ、でも、もちろんできるだけ、そうならないようにがんばるけど」

翔子の言葉を聞いて、きっと今、自分は厳しい表情をしているのだろうな、と思う。

アッシと翔子が一緒に住む。それは涼子の想定の中でも妥当な選択肢だった。だが、涼子の胸にかすかな痛みが走ったのも、また事実だった。

二日後。電話が鳴った。翔子だろうか。あるいは佐藤医師か。もう誰が来ても驚きはしない。何しろ神殿は今や瓦礫《がれき》の山に変わろうとしているのだから。

だが予想に反して、電話は西野だった。受話器を落としそうになりながら涼子は、西野からの連絡があるという可能性が、念頭からきれいさっぱり消え去っていたことに気づいて、今さらながら不思議な気分になる。

西野は陽気な声で言う。

「そろそろ連絡しようかな、と思いまして。たぶん、謎は解けました」

涼子は息を呑《の》む。受話器の向こう側で、西野が目を細めて笑っている姿が見えた。

三十分後に伺います、と一方的に通告し、返事を待たずに電話は切れた。

かっきり三十分後。軽やかな足取りで、西野は姿を現した。涼子の顔をみて、言う。

「いろいろ考えましたが、答えとしては、もうこれしか考えられませんね。涼子さんの依頼は、リバース・ヒポカンパスを使いたくなったので、円インストールして欲しい、ということなんでしょう？」

涼子は不意打ちに驚くが、同時に胸を撫《な》で下ろす。

「残念、外れです」

「ウソだ。これ以外に涼子さんが僕に依頼したいことなんて、あるはずがない」

西野は言い放つ。涼子はゆとりを持って答える。

「本当です。今から答えを言います。私からのお願いは、ちょっと大変なんですけど、でもそれは西野さんにしかお願いできないことなんです」

西野は肩をすくめた。

「答えが外れたんですから、約束通り、何でもいうことを聞きますよ。どうせ僕は、ひどく退屈してるんだから、ミッションは少し大変なくらいでちょうどいい」

「ありがとうございます」

ヒポカンパスの再インストールではないと聞かされたときから、西野の目にはあふれんばかりの好奇心がみなぎっていた。饒舌《じょうぜつ》な西野が沈黙を守り、涼子の言葉を待つ。涼子は微笑し、単純な依頼を口にした。それを耳にした西野はしばらく口を利こうとはしなかった。だが、やがて、うめくように言う。

「まさか、そんな依頼だったとは……夢にも思わなかった。いや、だがしかし、そうか、こいつは推測可能だったな。僕としたことが……」

涼子は西野を見つめた。やがて涼子は言った。

「お願いできますか？」

腕組みをして西野は考え込む。やがて、西野は顔を上げると、言った。

「あまりにも非常識な依頼だ……しかし大したもんだ、降参です。この僕が降参させられる事態に陥ったのは、幼きスクールデイズ以来です。実にファンタスティックだ」

「私が全身全霊で考え抜いた謎ですもの。これは西野さんの敗北じゃないわ」

西野は首を振る。

「僕にとって、僕の想像力を超える現実が存在することこそが敗北なんです。だってほら、僕は〝神〟なんですから」

けたたましく耳障りな笑い声を上げる。西野は傲慢《ごうまん》な男だ。だが現実に彼が涼子に対応してくれていることは天使のように清らかな行為に見える。

サディストも純度が極まれば結晶化する。そして結晶とは、すべからく美しい。

涼子は西野を凝視する。西野は厳かに答えた。

「わかりました。約束ですから涼子さんの依頼を引き受けましょう」

肩の荷が下りると同時に目の前に暗黒の海原が広がっていく。

涼子は自由になった。だがそれは真夜中の海原の自由だ。涼子は賭《か》けには勝ったが、同時に自分の生殺与奪の権利を彼の手に委《ゆだ》ねてしまった。

涼子のすべては、目の前の死神に握られてしまったのだ。

西野は死神で、神ではなかった。だが涼子は彼を神にしてしまった。それは西野と取引をしたせい、つまり涼子の自業自得だ。涼子を見つめる西野に、言う。

「あの、私は西野さんに報酬をお支払いできる貯《たくわ》えはないのですが」

西野は浅黒い顔に、真っ白な歯を見せて、言う。

「構いません。一晩、一緒に過ごしていただければ」

涼子は肩を落とす。諦念《ていねん》が涼子を覆う。西野は明るい声で続ける。

「冗談ですよ。そんな卑しい取引は、僕の趣味ではありません」

「でも、それじゃあ……」

西野は人差し指を突き出し、涼子の唇を塞《ふさ》ぐ。

「僕はもう報酬をいただいてます」

え？　という表情をした涼子に、西野は続ける。

「それはね、サプライズです。すべてを見通せる僕にとって、サプライズこそ得難い、極上のプレゼントです。僕の知識量が増大していくのに反比例して、どんどん減少する稀少金属《レアメタル》みたいなもの。僕はすでに極上の報酬を手にしてしまった。そして一回の案件でいただく報酬はひとつだけ、と決めている」

涼子は西野のよく動く口をただ見つめる。

「欲望は際限がなく、どこかで線を引かないと暴走し、最後は自分自身を食い殺してしまう。ですので、これで取引は成立とします」

西野は立ち上がり、涼子に歩み寄る。そして涼子の華奢《きゃしゃ》な身体を抱きしめた。唐突な抱擁に涼子は抗《あらが》ったが、すぐに諦《あきら》めて、強引な力に身を委ねる。

西野は涼子の耳元に囁《ささや》きかける。

「涼子さん。あなたは優しくて、ひとりぼっちだ。あなたが抱きしめて欲しいと願っている相手は、たぶんあなたを抱きしめることができない。だから今、僕が代わりに抱きしめてあげる。あなたはこの抱擁を胸に旅立てばいい」

西野に何がわかるというのだ。そんな反発を抱きながら、言葉とはうらはらに清らかな抱擁は、涼子の崩れ落ちそうな身体の輪郭をかろうじて支えてくれた。

感傷など必要ない。人はいつか必ず死ぬ。遅いか早いかの違いだけ。

死に似たなにものかが、今、涼子の前に選択肢として提示されている。

そう割り切っているはずなのに、涼子の目から一粒の涙がこぼれ落ちた。

西野はゆっくりと抱擁を解くと、言った。

「では事務手続きに入りましょう。今からモルフェウス・システムの最終チェックに入ります。その間は席をはずしてください。時間は三十分あれば充分です」

涼子は西野に隠すものは何もなかったので、その申し出に素直に従った。西野は口笛を吹き、軽やかな足取りで銀の棺《ひつぎ》に歩み寄る。その後ろ姿を見ながら、涼子は思う。

西野は、想像力が現実を超えられなかったから敗北した、と言った。だが、それは間違いだ。想像力は香辛料みたいなもので、決して主食にはなりえない。

主食とは圧倒的な現実だ。それは市場で手に取れる食材で、レタスでありオレンジでありマグロであり骨付きラム肉でありミルクだ。それらを食し、人は血肉を構築する。それなくしては料理はできない。それはちょうど、具象である現実から日を背けたら、豊かな人生がないのと同じことだ。

では香辛料は不要なのか。答えはノーだ。むしろ香辛料の中にこそ、料理の本質がある。ひとつまみ振りかけるだけで、すべての素材がその指揮下にはいるのだから。

想像力という香辛料はひとかけら、現実という素材に添えることでしか用いてはならない。実体のない想像力を主食にするなら、もはやバクのように夢の中でしか生きられないのだから。

西野は香辛料の海の中に漂っている。だから西野の存在自体こそが大いなる錯誤なのだ。それなのに不眠症だなんて、なんて哀しい人なのだろう。

そんな憐憫《れんびん》の情を抱きながらも、同時に涼子は西野を必要としている。香辛料は、人が人であるために必須《ひっす》のエレメントなのかもしれない、と思う。

グレイ・ゴー・アウエイ。

朝告げ鳥の鳴き声が聞こえたような気がした。空耳だろうか。

耳を澄ますと、ノックの音がした。ゆっくりした足取りで歩み寄り、閉ざされた扉を開け放つ。そこには白衣姿の翔子が立っていた。

天使だ、と思う。その後ろには頼りなげな佐藤、さらにその背後に若く屈強な男性がふたり。庭先には白い救急車が赤色灯を無音で回転させながら待機している。

「お待ちしておりました」

涼子の言葉に会釈を投げて、佐藤が部屋に入る。続いて翔子、若い研修医と続く。先頭の佐藤は自分の庭を闊歩《かっぽ》するように、まっしぐらに地下に下りていく。扉を開けた瞬間に感じた頼りなさは感じない。佐藤の所作は自分のエリア内の自信に充《み》ちている。

銀の棺の前に立つと、その上に並べられたデータシートをざっと眺める。

「患者の状態は正常範囲だ。これより佐々木アツシ君の覚醒《かくせい》準備の確認をする。田上《たがみ》は酸素ガス分圧および心拍数、呼吸数モニタチェック。谷本《たにもと》は脱メディウム作業のサポートを頼む」

研修医はうなずき、持ち場につく。翔子は涼子に寄り添い、その肩にそっと手を置く。涼子は凍りついた椅子に座り、周囲があわただしく動くのを、遠い世界のできごとのように眺めている。

昨日まで涼子の神殿だったここは、まもなく廃墟《はいきょ》になる。涼子は、肩に置かれた翔子の手を握りしめる。佐藤が涼子に言う。

「ただ今より、佐々木アツシ君の人工凍眠離脱作業ならびに覚醒作業に入ります」

涼子はうなずく。視線を落とすと、自分の膝《ひざ》が細かく震えている。事前にシミュレーションしていたのだろう、研修医はスムースに配置についた。

佐藤は、ふたりと視線を合わせると、小さくうなずく。

「メディウム、オフ」

佐藤の言葉を、研修医が復唱する。「メディウム、オフ」

佐藤がスイッチを切った瞬間、けたたましいアラーム音が鳴り響いた。銀の棺の内部を充たした液体が徐々に水位を下げ始める。それに応じアラームの音は複数になり、不協和音を奏でる。

「どうにかならないの、この音？」

苛立《いらだ》たしげな口調で翔子がそう言うと涼子は立ち上がり、マニュアルを開く。もう何百回、この本を熟読したことだろう、と思いながら、涼子はぱたんと本を閉じる。

「このアラームはメディウムが完全に排出されるまで解除できないみたいです」

「システムの不備ね。開発会社に文句を言わなくちゃ。あ、でも、もうどうでもいいのか。凍眠法の下ではこれからコールドスリープする物好きなんていないもんね。病気治療開発を待つための延命という一番大切な部分を否定しちゃったら、こんなシステム、誰も利用しないもの」

世の識者と目される人でも、こんな風にすっきりとした総括はできないだろう。あれから学習したのだろうが、大したものだ。

佐藤が張りのある声で言う。

「システムエラーなら、これは単なる騒音だ。騒音で人は死なない。覚醒作業を続行する。田上、水位確認」

ぼうっとしていた田上は、あわててデジタルの数字を読み上げる。

「水位六十センチ、メディウム排出率二十パーセントです」

メディウムで充たされていた銀の棺の上部に、空気が混入し始めている。モルフェウスの管理維持を続けてきた涼子にとっては胸騒ぐ光景だ。覚醒作業とはいえ、こんな状況が涼子の目の前で起こるなど、決して許されないことだった。

「谷本、ラリンジアルマスクの動作確認」

「確認、しました」

みるみる水位が下がっていく。ついにモルフェウスの皮膚が大気に触れた。

「水位四十センチ、メディウム排出率五十パーセント」

不協和音のアラームに負けじと、佐藤が声を張り上げる。

「メディウムの完全排出後、気道確保、心拍再開の電気刺激を与える。その後、患者を人工呼吸器管理下で搬送。さあ、ここからは集中しろよ」

真剣な顔つきで研修医ふたりはうなずく。急速に水位が減少していく。

「水位十五センチ、メディウム排出率八十五パーセント」

今やモルフェウスの身体は完全に露出し、田上の声だけが響く。

「水位ゼロセンチ、メディウム排出率百パーセントです」

「ＯＫ」

佐藤は祭壇から降りると、涼子に歩み寄る。

「ケースをオープンしてください」

涼子はうなずき、オレンジ色のボタンを押した。とたんに鳴り響いていたアラームがぴたりと停止した。静寂の中、銀の棺の蓋《ふた》が開く駆動音が部屋に響く。

佐藤が谷本を呼び寄せる。

「ボタン、わかるな」

谷本はうなずく。蓋が九〇度に直立したところで停止した。佐藤は棺に駆け寄る。

「ラリンジアルマスク装着」

オレンジのゴム製受け皿にチューブが付いたような形のマスクを手渡された佐藤は、滑らかな動作でアッシの口に突っ込む。

「体位変換ボタン、オン」

　モルフェウスを安置した台がゆっくり回転し、うつぶせ状態になる。

　モルフェウスは咳《せ》き込むように全身を震わせた。

「マスクより肺内のメディウム除去、終了。ここまで順調だ。田上、アンビューを装着。レートは一分あたり十。谷本は静脈ラインを確保」

　ラリンジアルマスクの先にゴム袋をつけると、田上はゆっくり押し始める。モルフェウスの胸がそれに伴い、上下動する。隣で谷本が右腕にラインを確保した。

「再び体位変換、仰臥《ぎょうが》位に復位後、心拍再開作業に入る。カウンターショック、チャージを」

　モルフェウスの台座の動作完了を確認しながら、佐藤は矢継ぎ早に指示を出す。

　両手に端子を把持した谷本が、チャージレベルを覗《のぞ》き込む。

「二〇〇ジュール、チャージ完了しました」

　手渡されたカウンターショックを両手で摑《つか》み、佐藤はモルフェウスの胸に端子を押し当てる。ゴー、という音と共に、モルフェウスの身体が跳ね上がる。涼子は思わず顔を背け、うつむく。佐藤の苛立った声が響く。

「谷本、バイタル確認。心電図の端末を装着。強心剤を一アンプル静注」

「強心剤、一アンプル、フラッシュしました」

　全員、心電図モニタを凝視する。緑の輝線はフラットのままだ。単調な電子音が場に充ちる。

「鼓動、来ません」

佐藤は谷本に指示を出す。「もう一発」

谷本はチャージする。田上が押すマスクから送気される胸の上下動だけが視野の中で動いている。手渡された端子を佐藤が押し当てる。再び、バウンドするモルフェウス。緑の輝線はぴくりとも動かず、美しい直線を描く。佐藤が叫ぶ。

「心臓マッサージだ」

顔を見合わせる谷本と田上を押しのけ、佐藤がモルフェウスの上半身にのしかかる。両手を胸部に当て、体重をかけて律動させる。そのたびに心電図の緑の輝線が不規則に上下動する。

涼子はその様子を呆然《ぼうぜん》と眺めていた。覚醒がうまくいっていないことは、素人である涼子にもわかった。

鼓動が激しくなる。

どうして目覚めないの、と心の中で叫びながらも同時に、その事態にほっとしている自分にも気付いてしまう。モルフェウスという名をつけて目の前の少年を眠りの世界に閉じ込めようとしているのはほかならぬ自分なのではないか、と気づいて震える。

翔子がモルフェウスに駆け寄り、佐藤を押しのける。

「どいて、選手交代よ」

佐藤をどかすと、翔子はこぶしを握り締め、モルフェウスをにらみつける。

「アッシ。みんな心配してるんだから、ぐずぐずしないで、とっとと戻ってきなさい」

高い位置から振り上げたこぶしを胸に振り下ろす。どん、と鈍い音がして、モルフェウスの身体が揺れ、心電図の緑の輝線が振れた。しばらくして小さな咳《せき》と共にラリンジアルマスクから残留メディウムのかけらが排出された。

だがそれで終わりだった。

緑の輝線はフラットに戻り、翔子は胸部を乱打し続けた。佐藤が荒れ狂う翔子を羽交い締めにする。

「無理だ、翔子ちゃん、ヤメろ」

「何言ってんの。ふざけんな」

翔子は振り返り、佐藤をにらみつける。荒れ狂う翔子を白衣姿の男性三人は棒立ちで見つめる。


そのときだった。

凍りついたように椅子に座っていた涼子が立ち上がった。ゆるやかにモルフェウスに歩み寄り、上半身に身体を寄せた。メディウムに濡《ぬ》れた胸に頰を寄せ、涼子は囁《ささや》いた。

「あなたには未来がある。みんなあなたの帰りを待ってる。だから戻ってきて」

涼子は、声を張り上げる。

「あなたは、もうモルフェウスじゃないの。目を覚まして、アッシ君」

涼子はアッシを抱きしめる。涼子の鼓動が、徐々に静まっていく。

「あ」

声を上げる研修医の視線につられて見ると、心電図の輝線が、ぴくん、と上下動した。まるで涼子の激しい鼓動が移植されたかのように。

翔子が呟《つぶや》く。

「……戻った」

涼子は顔を上げ、心電図を見つめる。規則正しい心拍音が響きはじめる。

ラリンジアルのアンビューを押し続けていた田上が尋ねる。

「自発呼吸も出ました。ラリンジアル、抜去しますか？」

「救急搬送の間は挿入したまま移動する。病室に到着後、直ちに抜去」

次々に出される指示を耳にしながら、涼子はひとり、モルフェウスの瞳《ひとみ》を覗き込む。

どんより曇った瞳の奥に一瞬、明けの明星のように光が灯《とも》ったのを、そしてその光の中に自分の微笑を、涼子は見たような気がした。

さまざまなオーダーが飛び交う中、涼子は静かに言った。

「さよなら、モルフェウス」

その言葉は交錯する喧噪《けんそう》の中で、誰の耳にも届かなかった。ただ、アッシの瞳の奥の輝きだけが、何か言いたげに動いた。

くのを見つめていた。涼子はその視線を背中で受け止めながらモルフェウスの祭壇をゆっくりと降りていく。そして再び深々と椅子に座る。

振り返ると白衣姿の医師たちが気忙《きぜわ》しく立ち働く中、翔子が涼子をじっと見つめていた。涼子はその視線を背中で受け止めながらモルフェウスの祭壇をゆっくりと降りていく。そして再び深々と椅子に座る。

その涼子の足下に、佐藤が近衛《このえ》兵のように跪《ひざまず》く。

「佐々木アッシ君は無事、覚醒《かくせい》しました。意識レベルはまだドロウジーですが、入院させて経過観察します。直ちに東城大学医学部付属病院オレンジ新棟二階に搬送します」

「お願いします。御苦労さまでした。そして本当に、本当にありがとうございました」

佐藤はうなずいて、アッシをストレッチャーに移す。正面のエレベーターの扉が開く。五年間、一度も使われなかったエレベーターにアッシの身体が吸い込まれていく。

乗り込んだ三人の医師が振り返り、チーフの佐藤が涼子に深々と礼をした次の瞬間、音もなく扉が閉まる。涼子の前からモルフェウスの姿が完全に消滅した。

「さて、と」

背後で声がしたので振り返ると、翔子が大きく伸びをしていた。涼子をまっすぐ見つめて言う。

「とりあえずほっとしたわね。それじゃあ、行きましょうか」

「行くって、どこへ？」

涼子の問いかけに、翔子は驚いて目を見開く。

「どこへ、ですって？　決まってるじゃない。オレンジ新棟、アッシの病室よ。涼子さんだって、目覚めたアッシとお話ししたいでしょ」

涼子は静かに微笑し、後ずさりながら首を振る。

「ううん、私は行かない」

「え？　どうして？」

「私の仕事は人工凍眠してる佐々木君のサポートで、佐々木君が目覚めた瞬間に、私の業務は終了したの。だから、行かない」

「そんな。人のお世話をするってそんなもんじゃないでしょう」

「看護師さんと私の業務は違うの。この仕事はこれでおしまい」

「あなたは間違ってる。涼子さんは絶対来なくちゃダメだよ」

涼子にとって拷問のような言葉。無邪気な善意は、時に悪意より人を傷つける。

ひかりの世界の住人は、ひとのこころの闇を知らない。

「おーい、翔子ちゃん、何してんだよ。急げ」

階上から、佐藤の声が翔子を急《せ》かす。翔子は上を見て答える。

「すぐ行きます」

ゆるやかな螺旋《らせん》階段を一息で駆け上る。てっぺんで振り返ると、涼子を見下ろして、もう一度言う。

「涼子さん、待ってるからね。すぐに追っかけてきて。約束だよ」

響く。

「ううん、行かない」

涼子の答えに返事はなかった。代わりに一陣の風が吹き込んで、書類の束を舞い上げた。救急車のサイレンの音が響き始める。扉の閉まる音と共に、救急車のエンジン音が響く。

部屋には風が吹きすさんでいる。書類の紙吹雪の中、涼子はひとり立ちすくむ。

コントロールパネルのボタンを押す。開け放たれた銀の棺《ひつぎ》が閉じていき、元の姿に復元された。五年間、毎日見つめ続けた光景だ。だが、そこにモルフェウスの姿はなく、うつろな棺が虚《むな》しい輝きを放っているだけだ。

翔子が駆け上った階段を、ゆっくりした足取りで辿《たど》る。強い風が涼子の髪をなぶる。

一階の扉は開け放たれたままで、朝の光が差し込んで、部屋を平行四辺形の影が切り取っている。扉から外を見ると、ふだんと何も変わらない、いつもと同じ景色だ。

その様子を確認してから、涼子はゆっくりと扉を閉める。部屋は薄闇の中、風もなく徐々に死に絶える。

涼子は再び、ひとりで螺旋階段を下りていく。

地底の広場は秩序が失われ、剝《む》き出しの岩肌のように無惨な姿をさらしていた。まるで敵兵が蹂躙《じゅうりん》した役場のように、白紙が散乱していた。それはこれまで、一度も目にしたことがない光景だった。

祭壇に安置された銀の棺に歩み寄り、涼子は頬を寄せた。目をつむるとモルフェウスの横顔が脳裏に浮かぶ。まるで今もそこにいるかのようにくっきりと。

涼子は棺を抱きしめる。

そして、声も上げずにひっそりと泣いた。

第二部　覚醒

6. オレンジ・プリンセス　二〇一五・〇四

「ねえ翔子ちゃん、今度特別室に入ったあの子って、どんな子なの？」

中学生の村田佳菜《むらたかな》はポニーテールの髪を揺らしながら、小児センターの責任者の翔子に尋ねる。翔子は肩をすくめる。

「さすがお目が高い。佐々木アツシ君。本当なら佳菜ちゃんと同い年の十四歳のはずなんだけど理由があって精神年齢は九歳なの」

「何よ、それ。ウチのこと、バカにしてる？」

「とんでもない。オレンジの王女をバカにしたら、後が大変だもの」

東城大学医学部付属病院の本館隣に佇《たたず》む別棟、オレンジ新棟二階の小児センターでは入院患者はほとんどがパジャマ姿だが、安定期で症状が軽微な佳菜は普段着姿だ。小学生以下の子どもの中、佳菜だけは中学生なので目立っていた。

そのため翔子は佳菜のことを、敬意をこめてオレンジの王女と呼ぶ。

「翔子さんが曖昧《あいまい》な言い方をするときって、必ず何か理由があるんだよね。それなら約束して欲しいの。話しても平気になったら、まっさきにウチに教えて」

佳菜の頼みに、翔子はうなずく。

「あら、ヤケに物分かりがいいわね」

「そりゃあね、ウチも中学三年生だし、いつまでもワガママ言ってらんないし」

「感心感心。じゃあそのときは真っ先に佳菜ちゃんに教える。ひょっとしたら何か頼み事をするかもしれないし」

満足げな表情になるとその場を離れた佳菜の背中を見送り、翔子は特別室に向かう。部屋に足を踏み入れると、アッシは両目を開け、ぼんやりと天井を見つめていた。

「ご機嫌いかが、アッシ？」

アッシは答えない。意識はあるのよ、と翔子は自分を勇気づけるように呟《つぶや》く。

アッシがオレンジ新棟に入院し三日が経った。その間アッシとはコンタクトが取れていない。バイタル、神経反射も正常に保たれている、という事実だけが翔子にとって救いだった。神経内科の田口の診断は、高度の自閉的状態というものだった。

田口の穏やかな口調を思い出す。

「自閉的状態は自閉症とは違い、周囲との関係性の歯車が外れた状態です。現在の時間に復帰するには何かの衝撃で歯車を元に戻す必要がある。ただその衝撃がどのようなものかは、個人によって違います。何がきっかけになるのかもわかりません。ですので、注意深く見守ってあげてください。あせりは禁物です。アッシ君は五年の長きにわたりこの世界に不在だったわけで、その空白はおいそれとは埋まりませんので」

ふだん口数の少ない田口にしては長い台詞《せりふ》だった。

最後に、あってもなくても変わらない、いつもの決まり文句を投げかける。

「何かありましたら、いつでもご相談ください」

翔子は田口を見て、しみじみと思う。この人は本当に変わらない。

ふと、その肌触りがどことなく涼子に似ているような気がした。

涼子に会いたい。

それが自分の欲求か、それとも今、眼下でひたすら眠り続けるアッシの願望なのか、翔子にはわからなくなっている。


翔子はナースステーションでカルテ整理をしていた。東城大学医学部付属病院は経営難に陥り、一度は撤退を表明した。けれども地域住民の声に押され、業務を再開して以降、スタッフの業務は以前より苛酷《かこく》になった。師長が看護記録を記載することも常態になった。だがオレンジ新棟二階の小児センターでは患者数が絞られているので、満足のいく看護を行なえていた。対応のため病棟師長の翔子が採ったシステムが、全員受け持ち制度だ。病棟の入院患者全員を、すべてのスタッフの受け持ちとし、看護記録も毎回出勤しているスタッフ全員がすべての患者について記載する。ただしバイタルチェックなどルーティンワークの当番だけは決める。このやり方はＩＣＵケアの応用だ。翔子は、今は閉鎖されている救命救急センターでの日々を思い出す。

天井から啓示のような声が降り注ぐ。

――受けろ。

前任のセンター長の声がどれほど恐怖で、そしてどれほど心強かったことか。

失ってみて初めてわかった。翔子はため息をつく。

この世界にはそういうことが多すぎる。だから世界には哀しみが溢《あふ》れてしまうのだ、と思う。何も考えずに疾走していたあの頃。どんな救急患者も拒否せず受け続けた、鉄の結束を誇った近衛《このえ》兵軍団も、今は完全に消滅した。それは誰の罪なのだろう。

翔子は湧き上がる記憶を身体の外側に追い出すと、目の前のカルテに集中する。

佐々木アツシ、十四歳。未来医学探究センターからの転院。故あって五年間の記憶喪失を伴う網膜芽腫《もうまくがしゅ》患者。五歳の時、この病気で右目を失う。

次のカルテをめくる。

オレンジの王女、村田佳菜。同じく十四歳。リン酸系代謝異常のテトラカンタス症候群を五歳の時に発症して以来、緩解と増悪を繰り返し断続的入退院を繰り返す。現在の病状は重篤ではないが、新しい遺伝子治療が適用になるかによって今後の治療方針が変わる。新薬は二年前に欧米で発売されたが、日本での認可は遅れている。

カルテを閉じ、さきほどの光景を思い出す。同い年のふたりの部屋は隣り合わせなので、佳菜は最近アツシの部屋の前をうろつくことが多かった。

「こら、また覗《のぞ》き見して。プライバシーの侵害だって言ってるでしょ」

翔子が両手を腰に当て、佳菜を叱る。佳菜は振り返ると言い返す。

「ウチはこの子に話しかけてもないし、部屋に入ってもいない。それがプライバシーの侵害なら、要塞《ようさい》の小部屋にでも閉じ込めとけば」

もっともな理屈に、ぐうの音も出ない。

「わかったわ、王女さまの勝ちよ。アッシは病気じゃないから、ま、いっか。ひょっとしたら刺激があった方が目覚めに役立つかもしれないし、ね」

「じゃあ、ウチがこの子の部屋を訪ねてもいいの？」

翔子はうなずく。

「ただし、条件がふたつ。ひとつ、うるさくしないこと。ふたつ、佳菜ちゃんが部屋にいる間にアッシに変化があったら、すぐにあたしに知らせること」

佳菜は目を輝かせてうなずく。

「そんなの、お安い御用だわ。それならウチ、宿題とか、ここでやりたいな」

調子に乗るのもいい加減にしなさいと言いかけて、ふと、それもいいかも、と思い直す。佳菜は小児センターでは年齢が上すぎて、他の子どものお守り役をさせられることが多い。そのことで佳菜は文句は言わないけれど、同年代の子どもが一緒になったのだから、少しは気分を変えたくなっても仕方がないだろう。翔子はうなずく。

「ＯＫ。それでもいいわよ。でもアッシの部屋で勉強するならチェックするから。午前と午後、ノートを調べて勉強量が一定に達しなければ即座に退去させるからね」

「げ」

佳菜はぎょっとした顔をする。翔子はにやりと笑う。

「あんたのママに、もう少し勉強させてください、とやいのやいの言われてる。冗談じゃないわ。ここは学習塾じゃないんだからと思ってたけど、ちょうどよかった」

佳菜はうつむいていたが、やがて顔を上げると言った。

「わかった、それならウチも前向きに考える。どうせいつかやらなくちゃいけないんだから、この子の面倒をみながら春休みの宿題をやっつけちゃう」

「その意気よ。佳菜ちゃんに足りないのは気迫《ガッツ》だけなんだから」

佳菜はうなずくと言う。

「そうと決まれば善は急げ、すぐ引っ越しよ。テーブルはロビーにあったわよね」

翔子の返事も待たずに、佳菜は一目散に部屋に戻って行った。


「ええと、xをyに当てはめると関数fは……直線と曲線の交点が点Aだから……」

部屋を巡回すると、佳菜はアッシの枕元でノートに方程式を書き付けていた。

「感心感心。大嫌いな数学から始めるなんて、佳菜ちゃんも進歩したね」

「そりゃそうよ。この子が目覚めたら、いろいろ教えてあげなくちゃいけないでしょ。だったらその前にウチの厄介ごとを片付けておかなくちゃ」

翔子は佳菜の肩をぽん、と叩《たた》く。

「当てにしてるわよ、王女さま」

翔子はアッシの所見を簡単にメモすると、部屋を出て行った。佳菜はしばらくノートに書き物を続けていたが、やがてそろそろと立ち上がると、部屋の戸口から外を窺《うかが》う。そして足音を潜めて戻ってくると、アッシの枕元にしゃがみ込む。

「大きな目を開けてるんだから、ウチの話も聞こえてるんでしょ。ねえ、少しお話ししましょ。あんたはどこで何してたの？　家族はどうしてる？　これから何をしたい？」

その様は、少女が自分の部屋で人形に向かって問いかけるのと似ていた。相手に質問しているのではなく、自分自身に問いかけているのだ。

「あんたにばっか聞いても悪いから、ウチの話もするね。パパは貿易の仕事で、一年の半分は家にいない。ママは機嫌がいい時はいいけど、ヒステリーを起こすと手に負えない。ウチは幼稚園から私立の女子校に入ってて勉強しないでも高校までは行ける。将来の夢はないわ。お嫁さんになればいいってママは言うけど、ママだってあんまりいいお嫁さんじゃないし、幸せに見えないから、あんな風にはなりたくない。でもね……」

佳菜はため息をついた。そしてアッシの横顔をしみじみと見る。

「あんたは綺麗《きれい》な顔してるけど、寝てばっかりじゃいい男も台無しよ。あんたのこと、三年寝太郎って呼んじゃうよ。それがイヤなら目を覚まして、ウチとお話ししよ」

背後でがたりと音がした。佳菜はウサギのように、ぴくりと顔をあげる。足早に机に戻ると、方程式を読み上げ始める。

「fはxの二乗の三倍で、片方の直線は傾きはマイナス6、そこに3を加えると……」

部屋の外を白衣姿の看護師が通り過ぎていく。その様子を目で追った佳菜はノートを投げ出して、再びアッシの枕元に座る。

「ほんと、やんなっちゃう。ウチには数学の素質がないんだから、勘弁して欲しいわ。だいたいウチが目指してる芸能界は、数学の成績なんて全然関係ないのにさ」

佳菜は窓の外を見つめてぼんやりする。その時、部屋に小さな声が響いた。

「$y=x^2$と$y=3x+2$の交点を求め、連立二次方程式に解の公式を使えば……」

ぎょっとして佳菜はアッシを覗き込む。

「ウチに答えを教えてくれているの？　ていうより、あんた、目が覚めたの？」

アッシの表情も目の輝きも変わらない。それでも唇は動き続け、方程式の解の続きを述べる。佳菜は枕元に駆け寄って、ナースコールを押した。

「翔子さん、すぐ来て。この子、目が覚めたわ」

翔子が部屋に飛び込んできた。そしてアッシの肩を揺すりながら言う。

「アッシ、アッシ、目が覚めたの？　大丈夫？」

ぼんやりした目の光しか見せなかったアッシが、揺さぶられ、ぽっかりと開けた目を向けて翔子を見た。そしてその唇がゆっくりと動く。

「ショコちゃん、ここは一体どこなのでありますか？」

その瞬間、翔子と佳菜は両手を取り合って、跳びはねて喜んだ。

アッシ覚醒《かくせい》のニュースは、またたく間に東城大学医学部のコミュニティを駆け巡った。翔子は報告のために高階病院長と田口に電話を掛けたが、高階病院長にはすでに別系統から情報が入っていた。直ちに田口先生にメンタルケアに向かうよう指示しておきました、との言葉通り、電話口には出なかった田口は、翔子が受話器を置いた瞬間、オレンジ新棟に姿を現した。

「すみません、アッシ君が目覚めたという情報を教えてくれた後輩が同行させろとうるさくて、追い払うのに少々時間を取ってしまいました」

当事者の田口よりも情報を早くゲットして、図々《ずうずう》しく同行を希望する人物はこの病院にはひとりしかいない。廊下トンビの兵藤《ひょうどう》だ。それなら何としても阻止するだろう、と翔子は思う。兵藤が知るということは、東城大の隅々まで情報が行き渡ることと同じだ。

よれよれの白衣、ぼさぼさ頭の田口の後ろから、看護師と入院児童が大名行列のようにぞろぞろとついてくるのを見て、翔子が両手を腰に当てて大声を上げる。

「見世物じゃないんだから、各自さっさと持ち場に戻る」

残念そうに振り返りながら、一行はばらけた。後には佳菜が残った。

「ウチは特別でしょ。ウチのおかげであの子は復活したんだから」

翔子はため息をつく。

「仕方ないわね。ひとことでも口を利いたら即追い出すからね」

佳菜はぶんぶんと首を縦に振り、両手の人差し指で口の前にバツ印を結ぶ。三人が部屋に入ると、アッシは上半身を起こし、ぼんやり窓の外を眺めていた。

その横顔に田口は声を掛ける。

「こんにちは。久しぶりだけど、私のこと、覚えてるかな？」

アッシは、ぼんやりと田口を見たが、やがて答える。

「田口先生、なのであります」

田口はうなずくと、隣の翔子を指差す。「この人は？」

「ショコちゃん、であります」

「じゃあ、この子は？」

アッシは佳菜を見つめた。佳菜の胸がどきどきする。やがてアッシはぽつんと言う。

「名前は知らないけど、算数ができない女の子であります」

佳菜の頭にかっと血が上る。誰のおかげで意識が戻ったと思ってるの。余計な口を利いてるヒマがあるなら、まずお礼を言ったらどうなのよ。

田口は翔子を振り返ると、言う。

「失見当識はなさそうです。眠りに入った瞬間の記憶は保持されていますので」

「昔のまんまで大丈夫なんですか？」

田口はうなずく。

「人工凍眠に入眠後は外部情報が入ってこないので、入眠直前の記憶が残るというのはデフォルトなんです。特に大きな問題はなさそうです」

翔子の耳元で囁《ささや》くように、佳菜が言う。

「〟であります〟だって。変なの」

その声を聞きとがめたアッシがすかさず言い返す。

「変ではないのであります。アッシは地球の平和を守るため、日夜努力してるのであります」

田口が翔子に囁く。

「手術前のMRI検査の時の記憶ですね。若干記憶の整合性に乱れがあるようです」

不安げな翔子の視線に、田口は続ける。

「ひとつ言えることは佐々木君の反応のひとつひとつが人工凍眠覚醒後の標準になる、ということです。特にこの病棟のシステムでは看護記録が重要になります。どんな些細《ささい》なことでも書き残しておいてください。何が役に立つか、わからない状況ですので」

「了解です。スタッフに徹底させます」

大人たちの会話を耳にして、不安そうにアッシが尋ねる。

「ショコちゃんと田口先生は何を相談しているのでありますか。シトロン星人の地球侵略は阻止できているのでありますか？」

それを聞いて、佳菜はがっかり顔になる。シトロン星人というのは、特撮怪獣テレビドラマ『ハイパーマン・バッカス』に出てくる悪役宇宙人のことだ。悪役のくせに正論を吐きまくる、学級委員の優等生みたいにイヤなヤツなのだが、なぜか人気がある。こうしたことに興味のない佳菜でさえ知っているのだから、知名度は高いのだろう。そもそも、悪役の人気が出るのは、正義のヒーロー、主役のハイパーマン・バッカスが酔っぱらい親父に設定されているせいだと佳菜は思っていた。

「なあんだ。この子って、ただのオタクなのね」

佳菜が小声で言うと、アッシは顔を上げる。

「算数も解けないのに、なんでそんな生意気な口を利くのでありますか」

佳菜は顔を赤らめる。眠っていると思っていた少年が、佳菜の呟《つぶや》きをしっかり聞いてたなんて。密《ひそ》かな告白も聞かれたのかと思い、かっとなる。

「なによ、シトロン星人って。バッカみたい、ハイパーマン・バッカスなんかに夢中なわけ？　あんた、年いくつ？　あんなの幼稚園児向けの番組よ」

アッシは目を見開いて、言う。

「ハイパーマン・バッカスは本当にいるんであります。そんなことを言っているヤツは、地球侵略のワルモノの手先で、非国民なのであります」

激高したアッシを見て、翔子は佳菜を抱きしめる。

「やめて、佳菜ちゃん。アッシは五年ぶりに目覚めて、周りのことがまだよくわかっていないの。取りあえず部屋を出ましょう、ね？」

佳菜は翔子に引き立てられながら、アッシに向かって悪態をつく。

「あんたなんか大嫌い。ハイパーマンなんてどうだっていいわ。現実は全然違うんだからね」

「やめなさいって。田口先生、後はお願い」

翔子は、アッシを罵《ののし》る佳菜を抱きかかえ、部屋から外に出した。


ナースステーションの小部屋で、翔子は椅子に座り、正面の佳菜を見つめていた。佳菜はふてくされ、口をとがらせてうつむいていた。視線はきつく尖《とが》り、反省している様子は見えない。

翔子は諭すように言う。

「佳菜ちゃん、約束が違うでしょ」

「あんなこと言われたら、ウチだって我慢できない。あれでも黙っていろ、というの？」

翔子は佳菜をまじまじと見つめる。

「それなんだけど佳菜ちゃんさあ、アッシに何か言ったでしょ」

佳菜は黙り込む。

「眠ってると思ってたんでしょ。言い忘れたけど、アッシの意識は目覚めててチャンネルがかみ合っていないだけ。周りの言葉は聞こえてるし、みんなわかってるの」

じゃあウチが言ったことは全部聞かれてた？　そんなの反則よ。

真っ赤になった佳菜を見ながら、翔子は続ける。

「佳菜ちゃんはアツシのことが気になって仕方ないのね。ここまで深く関わってしまったら仕方がないから、少しだけ教えたげる。アツシは目の病気で五歳の時、右目を手術で取ってる。でね、その時の担当の看護師はあたしの大の親友だったの」

佳菜は絶句する。あんたの右目はうそっこなの？　そうと知ったらウチ、あんなこと言わなかった。アツシへの罵りを撤回したいが、どう言えばいいのだろう。

「おまけに、残った左目に再発したの。五年前、アツシが九歳の時よ」

「てことは両目を取らなくちゃならないの？」

翔子はあっさり「そうよ」と答える。

「手術しなくちゃダメなの？　他に方法はないの？」

「五年前には、治療法は手術しかなかったんだけど、直後に画期的なニュースが流れたの。この病気の転移を防ぐ特効薬が見つかったの。でも実験段階で製品化されてないから、アツシの治療には間に合わない。その時人工凍眠システムが開発されたというニュースが同時に流れた。テレビを見ていて、これだって思った。五年間凍眠すれば目覚めた時に特効薬を使えるようになってるかも。それで高階病院長に直《じか》談判したの。アツシを人工凍眠させて特効薬が承認されるのを待ちましょうってね」

「つまりあの子は五年間凍眠してたから、気持ちは小学校四年生のまんまってこと？」

「そうよ。本当なら佳菜ちゃんとアッシは同い年だけど、佳菜ちゃんの方がずっとお姉さん。実際でもアッシの人生は五年間フリーズしているから、身体は成長していても、社会的には九歳なの。だからアッシが変なこと言っても我慢してあげて」

それならそうと早く言ってよ。佳菜は、ふと思いついて尋ねた。

「で、凍眠してまで待ったお薬は、今は使えるようになったの？」

翔子は首を振る。佳菜は呆然《ぼうぜん》として言う。

「え？　じゃあやっぱり両目を取っちゃうの？」

翔子はもう一度首を振る。

「絶望的、でもない。薬は欧米では、もう使われてる。でも日本ではダメなの」

「どうして？」

「厚生労働省の認可がまだなの。国の許可が下りないのよ」

「そんなの、絶対に変だよ。米国やヨーロッパで使っていい薬を、どうして日本では使えないというの？」

「誰だってそう思うわよね。これはドラッグ・ラグと呼ばれてる問題なのよ。何しろ日本のお役所は、仕事が遅いからさあ」

「ひどい。そのためだけにアッシ君は五年も待ったのに」

佳菜の中に、義憤がこみ上げてくる。五年も我慢したのに、何とかならないの？

「病院長が役所に掛け合ってるけど無理みたい。問題はもうひとつある。アッシのご両親は離婚して、両方とも引き取りを拒否してるの」

　それってあんまりだわ。

　佳菜はアッシの横顔を思い浮かべる。

　何かウチにできることはないかしら。

　その時、佳菜に、アイディアが浮かんだ。

「そうだ、ハイパーマンフンドに行ってみない？　少しは気分が晴れるかも」

　翔子は佳菜の提案に関心を持ったようだった。身を乗り出して尋ねる。

「え？　知らなかったなあ、そんな遊園地があるなんて。どこにあるの？」

「ウチも詳しくは知らないけど、東京のどこかよ。ちょっと遠いけど」

「調べてみる。でもその遊園地、全然話題になってないわね」

「まあ、結構しょぼいってウワサだから」

　翔子は腕組みをして考え込む。やがて顔を上げて言った。

「オレンジの王女さまに話せることは、今のところこれで全部よ。だからお願い、アッシには優しくしてあげて」

　佳菜はうなずく。

「仕方ないわ。出来の悪い弟みたいなもんだもんね」

「仲直り、できるわね？」

　佳菜はこくりとうなずいた。

佳菜が部屋に入ると、田口医師が出て行くところだった。

翔子は田口に呼び止められ、部屋には佳菜とアッシが残された。

アッシはぼんやり窓の外を見ていた。

「さっきはごめん。ウチ、つい、大声出しちゃって」

佳菜が思い切って声を掛けるが、アッシは黙っている。冷たい横顔を見つめながら、こんなになっちゃったのも自業自得だわ、と思う。目覚めたばかりでいきなり怒鳴りつけられたりしたら、誰だってぷんぷんしちゃうわよね。

——せっかく友達になれると思ったのに。

アッシの沈黙に、佳菜はしょんぼり肩を落とす。

とぼとぼと黙って部屋を出ていこうとしたその時、背中で声がした。

「わかったのであります」

振り返る佳菜。そっぽを向いたまま、アッシは言う。

「許すのであります」

目を見開き、小さくうなずき部屋を出た。廊下を急ぎ足で行き過ぎながら、佳菜は涙がこぼれそうになるのを懸命にこらえていた。

翌朝、佳菜がアッシの部屋を訪れた。両手いっぱい勉強道具を抱え、おずおずと言う。

「あのね、ここには他に中学生はいないから、あんたが一番歳が近いの。だからここで勉強させてもらってもいい？」

「いいのであります」

ほっとしてアッシの隣のテーブルに座る。黙って勉強していたが、やがてぶつぶつ呟《つぶや》き始める。

「この三角と相似なのは、ここだから、角の大きさは、というと、ええと」

天井をにらんでいたアッシが、ぼそりと言う。

「角Aは三〇度だから、角Cが直角になるので、三角形DEFがABCと相似なのであります。だから、頂点Eから垂線を下ろせばいいのであります」

「え？　そこから垂線を下ろすの？　まさか……、あ、ほんとだ」

それから佳菜はしみじみとアッシを見つめる。

「あんたってすごいのね。今、ウチがぶつぶつ言ってたのを聞いただけなんでしょ？　教科書の図も見てないのに、補助線の引き方が一発でわかっちゃうなんてさ」

アッシは答えない。おそらく本人にもその理由はわからないのだろう。

佳菜は呟くように言う。

「何だか調子が狂っちゃうわね。あんたってさあ、勉強はすごいけど話をしてても全然つまんないんだもん」

「そうでありますか」

アッシがしょんぼりと言う。佳菜はあわててつけ加える。

「あ、でも勉強だけはあんたのこと、ちょっと尊敬してる。ウチにとっても便利だし」

そのフォローはちっとも慰めになっていなかったが、幼い佳菜とアッシには、そんなことはお互いによくわかっていないようだった。

佳菜はその日以降、午前二時間、午後二時間、アッシの病室で勉強するようになった。ふたりの間で徐々に会話が交わされるようになった。通りかかった看護師は、ほほえましくふたりの交流を眺めた。背の高いアッシと小柄な佳菜はいいカップルに見えた。

だが近寄って話を聞くと、聞き分けのない弟をなだめるしっかりものの姉、というような会話だった。


アッシが覚醒《かくせい》し、一週間が経とうとしていた。

そんなある日、ふたりが一緒に過ごしていると、翔子がアッシを呼びにきた。

「田口先生のところにお話しにいくから、準備して」

その言葉を聞いて立ち上がろうとした佳菜に、翔子は言う。

「今日は佳菜ちゃんはダメ」

抗議をしようとした佳菜は、翔子の毅然《きぜん》とした雰囲気に言葉を呑《の》み込む。

なにごともいい加減な翔子だが、絶対ダメなことはいくら言ってもダメで、そもそもダメという雰囲気で、絶対口にできない空気になる。佳菜は同行を諦《あきら》めた。

翔子ちゃんの本気のダメなら、しょうがない。

アッシが不安げに佳菜を振り返る。佳菜は残された部屋で、やりかけの宿題を再開し、計算問題に手をつけようとしたがちっとも集中できないので、教科書を閉じた。


覚醒後、初めての外出だった。木々の梢《こずえ》をきょろきょろ見回すアッシに、翔子は言う。

「急ぐわよ。田口先生のお部屋は遠いんだから」

「わかったのであります」

病院正面玄関の自動ドアが開くと、大勢の患者が受付で順番待ちしていた。ひっきりなしに天井からアナウンスが降り注いでいる。人いきれをかき分け、翔子を見失わないよう足早に歩く。珍しげに、行き交う人々に視線を投げ掛ける。ホールに出ると、翔子は螺旋《らせん》階段を上り始める。おいてけぼりにされないよう、アッシは翔子の後を追う。

二階ホールで、翔子はアッシを見下ろしながら待っていた。

「もっと運動しないとね。階段を上っただけで息切れしてるんだもん」

「息切れなんか、して、ないで、あります」

アッシは言い返す。長い廊下の果てを見て、言う。

「ここは前に来たことがあるであります。シトロン星人大好きの田口先生がいるであります」

「アッシって、本当にくだらないことばっか覚えてるのね」

「小夜ちゃんと瑞人にいちゃんは、どこにいるのでありますか」

翔子の足が止まる。そして振り返らずに答える。

「元気よ、ふたりとも。すごく元気だから心配しないで」

翔子は急ぎ足で廊下の果てに向かって歩き始める。そして突き当たりの扉を開けると、アッシを手招きする。廊下を走り、扉に到着したアッシは少し咳《せ》き込んだ。

外付けの非常階段はアクリル板で覆われていた。二階から一階に下りると扉を開ける。そこは待合室で翔子はノックもせずにずかずか部屋に入っていく。アッシが続く。

部屋では、ぼさぼさ頭をした田口が両袖机《りょうそでづくえ》の前に座り、一心にキーボードを叩《たた》いていた。ふたりが入室した気配に顔を上げると、穏やかな笑顔で迎え入れる。

「久しぶりだね、アッシ君。この部屋のこと、覚えてる？」

アッシはうなずく。隣に佇《たたず》む年配の看護師に声を掛ける。

「藤原《ふじわら》のおばちゃん、今日は飴《あめ》はないのでありますか？」

藤原看護師は目を見開く。そして笑顔で答える。

「あら、そうだったわね。すっかり忘れてた。次は準備しておくから許してね」

「いいのであります。アッシもシトロン星人を忘れてきてしまったのであります。またママに買ってもらうのであります」

大人三人は顔を見合わせる。翔子が明るい声で言う。

「今日は大事なお話があるの。椅子に座って」

アッシはこっくりうなずき、田口の正面の椅子に座る。田口が言う。

「アッシ君は、眠る前のことを覚えてる？」

アッシはためらい、そしてうなずく。「……ちょっとだけ」

「五年間寝ていたことはわかる？」

うなずくものの、アッシには実感はなさそうだ。田口は指を組み、アッシを見つめる。

「大切なことを確認したいんだ。アッシ君は過去の自分の記憶を消して新しい自分として生きるか、それともこれまでの自分のまんまで生きるか、どちらかを選ばなくてはならないんだ」

アッシは不思議そうに尋ねる。

「どうして記憶を消すのでありますか。そんなの、イヤであります」

「そりゃそうよね。そうやって聞けば、答えは決まってるじゃない、田口先生」

我慢できずに口を挟んだ翔子に田口はうなずく。

「これは手続きで、法律で定められたマニュアルに従っているだけですので」

翔子がうなずくと、田口は改めてアッシと向き合う。

「じゃあ昔の記憶を保ったまま生き続けるという決定でいいのかな」

「いいのであります。アッシはそうしたいのであります」

机に座った田口はキーボードを叩いてから、パソコンのモニタの向きを変え、アッシと翔子の方へと向けた。

「本当ならこれで決定なんですが、マニュアルは法律に基づいているので、覚醒から一月後、ですから三週間後にもう一度、最終確定しなくてはなりません。あと、入眠前のビデオ確認も要請されています。なので今日は今からビデオを見ていただきます」

藤原看護師が翔子に目配せをする。翔子は椅子に座ったアッシの背後に回り、そっと肩を背中から抱いた。

「一緒に見よっか」

うなずくアッシの前で、ビデオが回りだす。

――佐々木アッシ、九歳です。小学校四年生なのであります。

アッシは目を見開き、五年前の自分を凝視する。

――お医者さんになって、レティノザウルスをやっつけるのであります。

やがて五年前のアッシが混乱し取り乱す中、ビデオは唐突に終わった。

アッシも翔子も黙り込む。田口は椅子に沈み、アッシをじっと見守っている。

やがてアッシがぽつんと尋ねた。

「ママはどこにいるのでありますか？」

翔子はアッシを背中から強く抱きしめる。アッシは質問を繰り返す。次第に声が大きくなっていく。

「ショコちゃん、ママは？　ママはどこにいるのでありますか？」

正面に立つ藤原看護師が静かに言う。

「アッシのパパとママは、アッシの前からいなくなっちゃったの。ふたりとも、今はもうアッシのパパとママではなくなってしまったの」

「ママがいない？　なんでであります か？　わからないであります。ママをここに連れてきて欲しいのであります」

田口が静かに言う。

「それはできない。もうママを君の前に連れてくることは不可能なんだ」

アッシは目を見開く。それから大声で言い放つ。

「ビデオにはママがいるであります。どうしてここにママがいないのでありますか」

アッシは翔子の手を振りほどいて立ち上がる。

「ママがいなければアッシは昔の記憶なんかいらないであります。記憶を忘れたいであります。でなければママを連れてきて欲しいであります」

手元にあったペンやトレイを手当たりしだい投げつける。

「危ない、止めなさい、アッシ」

翔子の制止も聞かず、アッシは手足をばたつかせる。床に落ちたトレイを田口に投げつける。トレイは田口の額に当たり、小さな傷から一筋の血が流れる。

田口は身じろぎひとつしない。

「アッシ君」

田口の声に、アッシの動きが止まる。

「言葉だけでやさしくするのは簡単だ。だけど現実は現実だ。アッシ君のパパとママは四年前、君が凍眠して一年後に離婚した。ふたりとも君の引き取りを拒否して、そしてパパとママには新しい生活がある。これが現実なんだ」

アッシは涙に濡《ぬ》れた瞳《ひとみ》をまっすぐに田口に向ける。

「なら、アッシはひとりぼっちなのでありますか？」

田口は首を振る。

「それは違う。君のため、いろいろな人たちががんばってくれてる。今すぐにわかって欲しいとは言わないけど、これだけは覚えていて欲しい。アッシ君のパパとママはいなくなってしまった。だけどアッシ君はひとりぼっちではない」

「田口先生の言ってることなんか、全然わからないのであります」

アッシは部屋を飛び出した。一瞬、田口を見た翔子は、田口がうなずいたのを見て、アッシの後を追う。

部屋には田口と藤原看護師のふたりが残された。藤原看護師は、田口に言う。

「やっぱり、こうなってしまいましたね」

田口はうなずくと、出された珈琲《コーヒー》をひとくちすする。

「いつまでも隠し通せるものでもありません。残酷なようですが、アッシ君の時間は流れ始めている。もう、後戻りはできないんです」

「アッシ君は、記憶を手放すつもりかしら」

田口は首を振る。

「あの言葉には驚きました。でも自分の中にない言葉は語れないので、ひょっとしたらその選択もありうるかもしれません」

「どちらが幸せで、どちらが不幸せかなんて、誰にもわかりませんものね。私たちにできるのはアッシ君の側にいてあげることだけ、なのかしら」

「あとは如月さんに任せるしかなさそうです」

田口の言葉に、藤原看護師はうなずいた。

「大丈夫ですよ。如月さんは、あの猫田《ねこた》の一番弟子ですから、何とかするでしょう」

藤原看護師の言葉が、ことん、と夕闇の部屋の床に落ちる。ほんのりと赤みがかった陽射しが、部屋に取り残された二人のシルエットを穏やかに染め上げていた。


アッシの後を翔子はついていく。翔子は自分の肘《ひじ》を抱き、アッシを見守る。草むらに入るとアッシはしゃがみこみ、膝《ひざ》を抱えて蟻を見ている。やがて立ち上がると、蟻の行列を踏み潰《つぶ》そうと足を上げる。それからその足をそのまま下ろしきれずに、別の場所にそっと下ろした。

そこへオレンジ新棟の看護師が、通りかかった。翔子はその部下にアッシを病棟に連れて帰るように命じた。アッシはズボンの尻《しり》をはたいて立ち上がる。上目遣いで一瞬、翔子をにらんだが、すぐに目を伏せ、看護師の後にとぼとぼとついていく。

翔子は遠ざかるアッシの後ろ姿を見つめていた。春の風が翔子の髪をなぶって吹きすぎていく。

背後から肩を叩《たた》かれた。振り返ると猫田総師長が立っていた。

「大変みたいね」

翔子は答える。

「もう、あたしの手には負えないかもしれません」

猫田はすうっと翔子の隣にしゃがみこむ。いつの間にか手にはネジバナの赤い花が摘まれていた。それを翔子に差し出して、言う。

「あんたはね、いつも全部抱え込もうとするからテンパっちゃう。そんな時には深呼吸をして、周りを見回すのよ」

翔子はうなずく。

「わかってます。でも誰に何を頼ればいいのか、わからなくて。アッシが求めているのはママなのに、その両親とは連絡が取れないし、親戚《しんせき》もいません」

猫田は立ち上がると、手を背中に組んで、くん、と胸を張る。

「如月、あんたには周りが見えてる。なのにどうしていいかわからなくなるのは、ものごとの幹を見失っているから。アッシ君はママを求めてる。だけどそれは不可能なこと。それならどうすればいい？　アッシ君が求めているのは、本当にママなのかしら」

黙り込んだ翔子に、猫田は続ける。

「ママと離れて五年、アッシ君は生きている。それは五年の間、面倒を見てくれた人がいたからでしょう。その人こそ今のアッシ君に必要な人よ。それって誰なのかしら」

猫田の問いかけに翔子は静かに呟《つぶや》く。

「……涼子さん」

「ほら、あんたは答えを知ってる。あとはその人に頼むだけ」

「でも、涼子さんにはもう対応できないと断られてて……」

猫田が首を傾げて、答える。

「それはあんたの勝手な思い込み。その人はアッシ君を大切に思ってる。でなければ五年間も、意思の疎通ができない相手のケアなんてできないわ。その答えはずっと前にもらったんでしょ？　今の状況を伝えてごらんなさい。その人の答えは変わるはずよ」

猫田は夕日を背にして、翔子を見つめた。最後にひとこと言い残す。

「心配しなくても平気。アッシ君は大丈夫だから」

翔子は顔を上げる。そこにはもう猫田の姿はなく、翔子の手に残された赤いネジバナが可憐《かれん》に風に揺れていた。

7. フェリス・ホイール　二〇一五・〇四

　翌日。アッシの病室の入口で、佳菜は何となく部屋に入りにくくてうろうろしていた。

「うっわー、今日はいい天気ねえ」

　背中から声を掛けられた。翔子の声はいつものように明るかったが、どことなく無理をしているようにも響いた。だが、そのことを深く考える前に、翔子が投げかけてきた言葉にびっくりして、佳菜はその印象を忘れてしまう。

「あのさ、実は今日、これからアッシをハイパーマンランドに連れて行くんだけど、佳菜ちゃんも一緒に行く？」

「いいの？　だって翔子ちゃんは今日は日勤でしょ？」

「シッターさんに面倒を見てもらうの。佳菜ちゃんが行きたければ、頼んであげる」

「行きたい行きたい」

「あら、あんなしょぼいところ、ばかばかしいんじゃなかったっけ？」

　翔子が意地悪に言うと、佳菜は肩をすくめた。

「病棟で一日、勉強してるよりはマシよ」

「じゃあ決まり。出発は三十分後。駅まで連れてくから、急いで支度して」

佳菜は急ぎ足で部屋を出て行った。その背中を、翔子はじっと見つめていた。

着飾った佳菜がナースステーションに戻ってくると、アッシがひとりでぽつんと佇《たたず》んでいた。その表情が大人びていて、佳菜はどきりとする。

昨日は何かあったのだろうと思っていたが、アッシの表情を見ていると、事態が相当深刻だということが感じられた。

「おはよ」

明るい声で挨拶《あいさつ》するが、アッシはぼんやりした表情で佳菜を見返しただけだった。

これじゃあ以前の自閉的状態とかいうのに逆戻りだわ、と佳菜は思う。何があったのかは知らないけれど、まったく世話の焼ける子ね。

そこへ白衣を脱いだ翔子が急ぎ足で戻ってきた。佳菜を見て、華やいだ声を上げる。

「ま、かわいい、佳菜ちゃんはやっぱり王女さまね。じゃ、行くわよ」

翔子の言葉に気をよくした佳菜は、くるりと身体をターンさせて、ワンピースの裾《すそ》をひらめかせてみせた。

翔子の運転は乱暴で、車を追い越すたびに接触するんじゃないかと佳菜はひやひやした。それは貿易の仕事をしていて滅多《めった》に家に帰らない、父親の運転に似ていた。

ママが運転の乱暴さを詰《なじ》ると、よくパパは言っていたものだ。

――七つの海を渡り抜くには、これくらいラフじゃないとな。日本人は平和ボケさ。

ひょっとしたら翔子ちゃんは七つの海を渡る女なのかもしれない。


飛ばしたせいか、ふつう二十分はかかるのに、駅まで十分少々で到着した。

急ブレーキの音を派手に響かせ、翔子の車は桜宮駅のロータリーにぴたりと止まる。後部座席のふたりを車から降ろすと、翔子は大きく伸びをした。

「本当に、いい天気ねえ。うーん、何だかあたしもサボりたくなっちゃったなあ」

佳菜も真っ青な空を見上げる。アッシは無表情だ。翔子は構わず駅の入口に向かう。その先にほっそりした身体つきの女性が佇んでいる。朝の空気の中、消え入りそうな女性は翔子と正反対の雰囲気だ。翔子が話しかけると、女性は微笑する。

翔子は振り返り、佳菜とアッシに言う。

「このひとが今日一日あんたたちの世話をしてくれる日比野涼子さん。やさしい人だから、わがままいって困らせないように」

涼子は目を伏せて、会釈をする。

「日比野です。よろしくお願いします」

「ああん、もう、涼子さんてば、そんな丁寧にする必要はないの。気楽にいきましょ」

気楽にと言うけど、今日一日面倒を見てくれるのはこの人であって、翔子ちゃんじゃないんだから大きなお世話なのでは、と佳菜は思う。だが涼子はそんな翔子に従順だ。

「すみません。気をつけます」

翔子はアッシの肩をぽん、と叩《たた》く。

「涼子お姉さんにご挨拶なさい」

アッシは小さく会釈した。涼子は一瞬、目を細め微笑した。やさしい笑みに、佳菜は引き込まれそうになる。翔子は時計を見て、せかせかという。

「あたしはもう戻らないと。涼子さん、後はお願いね」

「承知しました。責任持ってお子さまたちをお預かりします」

翔子は車にひらりと飛び乗ると、エンジンを空ふかしする。挨拶代わりのクラクション、窓から片手を出しひらひら振りながら、すごい加速で視界から姿を消した。

その様子を眺めていた涼子は、やがて静かに言った。

「行きましょう。切符は買ってありますので」

アッシは切符を受け取ると、そこに書かれている〝桜宮〟という文字を見つめた。


新幹線の車内では、涼子は無口だった。東京へは一時間少々。アッシも時折、涼子の横顔をちらりと見て、うつむく。せめて昨日の朝くらい愛想よければよかったのに、と佳菜はやきもきする。アッシのために設定されたハイパーマンランド行きなのに、こんな無愛想ではシッターさんが気を悪くしちゃうじゃないの。

涼子は、アッシの無愛想さには頓着《とんじゃく》せず、窓の外を眺めていた。気がつくと、窓に映り込んだアッシの横顔を見ているように、佳菜には思えた。だがアッシと涼子の視線が交錯することはなかった。

東京駅からメトロに乗り換え小一時間。その駅から徒歩十五分。畑の真ん中に突如出現したハイパーマンランドは、想像以上にしょぼかった。開園直後に来園者が相当多いというニュースを見たことはあるけれど、それ以来ぱたりと報道されなくなった。

こういう施設はリピーターがつくかどうかが勝負だとパパが言ってたから、たぶんハイパーマンランドは勝負に負けたのだ。

メリーゴーラウンドやジェットコースターといった定番の乗り物は、ハイパーマン・バッカスの怪獣の絵がついているだけの投げやり加減。

ジェットコースターの後、三人はすっかり無口になってしまった。

——遊園地でおしゃべりが途切れちゃうなんて致命的だわ。

佳菜は心の中で、ハイパーマンランドを〝いつかデートで使える施設リスト〟から外した。それでもアッシは、少し気が晴れたようで、相変わらず口は利かなかったが、表情が和らいでいた。それに比例し涼子をちらりと見る回数も増えた。

涼子はアッシの沈黙は全然気にならないようだった。佳菜はほっとした。すごくやさしいひとか、あるいはひょっとして、すごく鈍感なひとなのかも、と佳菜は整いすぎて冷たく見える涼子の横顔を見ながら、そう思った。

ランチはシトロン星人の着ぐるみから買ったハンバーガーだ。佳菜の希望で、入口のところにあるレストランは避けた。店内ではハイパーマン・バッカスの怪獣の着ぐるみウエイターがのろのろ働いていた。それならまだ、バーガーの方がマシだ。

だが、佳菜が食堂をパスした本当の理由は、会話のなさのせいだ。今のアッシと食卓を囲むのは途方もない難事業に思える。アッシが何も話さなければ、ウチが気を遣わなくてはならない。涼子さんはいいひとそうだけど、この小旅行はアッシのためで、涼子さんもアッシのために雇われてるから、ウチがしゃしゃり出るのは格好悪い。そんな消極的理由による選択だったが、意外にもボリュームたっぷりのハンバーガーはジューシーだった。やっと合格点モノに出合えたわ、と佳菜は呟《つぶや》く。

行き交う怪獣を眺めながら、アッシは今日、初めて言葉を口にした。

「観覧車に乗ってみたい、のであります」

涼子はぴくりと身体を震わせる。

さりげなく振る舞っているが、すごく緊張していたんだ、と気付く。

「それならハンバーガーを食べ終えたら乗ってみましょうか」

涼子が笑顔で答えると、佳菜はすかさず言う。

「ウチは乗らなくてもいいですか？」

「どうして？」

「ウチ、観覧車に一緒に乗るのはデートの相手だけ、と決めてるんです」

胸を張って答える佳菜に、涼子は目を細め笑顔になる。

「そうなの。じゃあ無理強いはしないわね。その代わり、その次は佳菜さんの乗りたいものにしましょうか」

「それならウチはあれがいい」

遠くに見える、天井から火花を発しながら動いているゴーカートを佳菜は指差した。

観覧車に乗り込むアッシと涼子の後ろ姿を見て、佳菜は不思議な感覚にとらわれる。ふたりなら向かい合って座るのがふつうなのに、涼子はさりげなくアッシの隣に座った。佳菜にはそれが、向かい合うのを避けたように見えた。

係員が扉を閉めると、観覧車はゆっくり上昇し始める。

その様子を眺めていると、やっぱり一緒に乗ればよかったかなと後悔する。デートの相手としか乗りたくない、というのは嘘だった。佳菜は高所恐怖症で、アッシに弱みを見せたくなかったのだ。観覧車は、佳菜の選択を責めるように、のんびりと回っている。

佳菜はアッシと涼子の姿を、上昇するゴンドラの中で見失う。

一回りした観覧車から降りたふたりは、特に変わった様子はなかった。ゴンドラの中でもあまり会話がなかったんだと確信し、佳菜は少しほっとした。

ゴーカートには先客がいた。黒人の兄妹《きょうだい》だ。兄は佳菜やアッシと同じくらい、妹は小学校低学年くらい。黒人の兄妹はぽつんぽつんと会話をしていたが、言葉は日本語でも英語でもなかった。

兄がゴーカートに乗り込むと、妹は囲い柵《さく》をぎゅっと握りしめて佇《たたず》む。隣に並んだ涼子は、ちらちらと黒人の兄妹を横目で眺めている。

ゴーカートは天井に電流が通じていて、火花を散らしながら狭いサークルを走り回り、互いに車体をぶつけ合うという、ワイルドなアトラクションだ。佳菜のお気に入りで、むしゃくしゃした時、ゴーカートに乗って他の車に体当たりしまくると気分が晴れるのだった。ゴーカートに乗り込んだのは、佳菜とアッシ、そして黒人少年の三人だ。佳菜は青、黒人少年は黄、そしてアッシは赤い車を選んだ。

開始のベルが鳴ると、ゴーカートに命が吹き込まれ、天井で火花がスパークする。佳菜はアクセルを踏み込むと、ぼんやりしているアッシの後ろから思い切りぶつけた。反動でアッシの車は前方に移動し、停車していた少年の車に衝突する。佳菜が少年のゴーカートにも体当たりすると、車はフェンスに激突した。

金切り声。見学している少女の悲鳴に興奮した佳菜は、立て続けに少年の車に体当たりする。少年は、悲鳴を上げる妹と、体当たりをする佳菜を戸惑ったように交互に見つめていたが、次の瞬間、アクセルを踏み猛スピードで佳菜のアタックをかわした。

佳菜は少年の車を追跡しようとしたが、背後に回られ、すごい勢いで衝突し返される。少女の悲鳴は歓声に変わる。〝やっちまえ〟みたいなことを言っているのがわかる。

少年の攻撃は蛇のように執拗《しつよう》で、稲妻のように素早かった。いくら逃げても逃げ切れず、遊びだとわかっていても、佳菜は怖くて泣きそうになった。

そのとき佳菜と少年のゴーカートの間に赤い車が割って入った。

「女の子をいじめるのはダメであります」

アッシが叫ぶ。黒人少年が何事か叫び返す。次の瞬間、アッシが少年に向かって言い返した。それに対し少年も罵声《ばせい》を上げる。ふたりの間で会話が成立している。

え？　なんで？　日本語でも英語でもないのに、なんで話せるの？

佳菜が混乱する中、少年は立ち上がりアッシに歩み寄る。襟首を掴《つか》み、車から引き摺《ず》り下ろそうとした時、囲いの外から鋭い警告が響いた。

アリーナ外から涼子がひとこと発したのだ。

その言葉も何語かわからなかったが、少年はその言葉を聞いてアッシを放した。けたたましいベルの音と共にゴーカートは沈黙し、鉄の塊に戻った。

ゲームオーバー。

アッシは黒人少年にひとこと、声を掛ける。振り返った少年は一瞬、アッシをにらむが、大股《おおまた》でサークルを出ると、囲いの外で見学していた少女の手を引いて姿を消した。

その様子を呆然《ぼうぜん》と眺めていた佳菜は、歩み寄ってきたアッシを見上げると、尋ねた。

「なに、今の？　どこの国の言葉なの？」

アッシは頭を抱えて首を振る。やがて顔をあげた時には顔つきががらりと変わっていた。幼いアッシは、もうそこにはいなかった。アッシは両肘《りょうひじ》を抱き、落ち着きなく周囲を見回している。

その様子を見守っていた涼子が、静かに声を掛ける。

「アッシ君、あなたは今、本当に目覚めたのよ」

涼子はアッシを見つめる。その眼が潤んでいてとても綺麗《きれい》だ、と佳菜は見とれた。

その瞳《ひとみ》に、ふいに陰がさした。涼子は静かな声で言う。

「遊園地はこれでおしまい。さあ、急いで桜宮に戻りましょう」


帰りの新幹線の車中で、佳菜は涼子に質問しまくっていた。

「さっきの言葉は、何語なの？」

「アフリカのノルガ共和国のドゥドゥ語です。お兄さんはずいぶん前に日本に来たみたいだけど、妹さんは日本に来てまだ日が浅い。すごく興奮してたけど、佳菜さんが車をぶつけたのを決闘を挑まれたのと勘違いしたの。お兄さんは昔、病気だったみたい」

「そんなあ。ただの遊びなのに」

「あの子たちにとっては遊びじゃなかったの。誇り高い部族の王族みたい。ノルガ族に栄光あれと言ってたから」

「なんで涼子さんは、そんな国の言葉を話せるんですか？」

「中学生の頃、父が領事館で働いていて、ノルガ共和国にも滞在してたのよ」

涼子は車窓の外に目を遣り、ひとり言のように呟く。

「……でも、すごい偶然ね」

佳菜はいよいよ混乱する。

「それじゃあアッシ君はどうしてドゥドゥ語を話せるんですか？」

涼子は一瞬、口ごもる。アッシも涼子を凝視していた。涼子は、得体の知れない言葉をふたこと、みこと口にした。それに対しアッシが滑らかに回答する。

「何、今の？」

「ノルガ共和国に行ったことある？　と聞いたら、アッシ君がありません、と答えたの。だとすれば、現地語を喋《しゃべ》れるのはきっと、〝眠り〟のプログラム、睡眠学習の成果ね」

「眠っている間に勉強ができちゃうの？」

涼子がうなずくと佳菜は言う。

「いいなあ、そのプログラム。涼子さん、ウチにもやらせて」

「私はこの件について佳菜さんにお伝えできないの。如月師長に聞いてね」

首を振る涼子に、佳菜はがっかりした声を出す。

「やっぱりダメよね。ママがいつも言ってるもの。勉強には近道はありません。こつこつやるのが一番なのよって。あーあ、つまんないの」

そう言いながら佳菜は、アッシが涼子をこれまで以上に強く見つめていることに気が付いていた。

桜宮駅に着いた時には、午後四時を回っていた。駅には翔子が迎えに来ていた。

「へい、チルドレン、楽しんできた？」

佳菜は、すまし顔で答える。

「ええ、意外に」

「ま、楽しかったらいいわ。これから病院に帰るから、涼子さんにお礼を言いなさい」

佳菜は手短に礼を言う。アッシはもじもじして挨拶《あいさつ》ができない。でも翔子に促され、アッシもようやくぺこりと頭を下げる。

「今日はありがとうございました。とても楽しかったです」

その言葉を聞き、翔子は目を見開く。「アッシ、あんたいつの間に……」

涼子の目がその言葉に一瞬、潤んだように見えた。翔子に向かって深々と頭を下げる。

「こちらこそ、本当にありがとうございました」

面倒を見てくれた方がお礼を言うなんて変なの、と佳菜は思う。

涼子は礼を言い終えると、長い髪を小指で梳《す》いた。その後、翔子と涼子は駅の待合室の片隅で何やら深刻そうな表情で立ち話をしていた。佳菜とアッシはその場を離れ、売店の雑誌をぱらぱらと眺めた。やがて翔子が戻ってきて、改めてもう一度、丁寧に涼子に礼を言うと、子どもたちを車に押し込んだ。

「さ、乗って乗って。急がないと夕方の申し送りに遅刻しちゃう」

佳菜とアッシは後部座席に乗り込む。アッシは窓を下ろし、涼子を見つめる。

涼子はその視線に気付いたかのように振り返り、言った。

「アヤルヴィーダ」

それから後は振り返らずに、すい、と歩き始める。翔子の乱暴なスタートダッシュに、涼子の姿はバックミラーからあっという間に姿を消した。


車中で、翔子はアッシに尋ねる。

「どうだった、ハイパーマンランドは？」

「楽しかった。でも、ハイパーマンはもう卒業かな」

翔子はバックミラーの中でアッシを見つめる。

「アッシって、喋り方まで急に大人っぽくなっちゃったね」

アッシはうなずく。

「よくわからないんだけど、今まで頭の中がごちゃごちゃしていたのが整理されて、すみずみまでとってもクリアに見えるんだ」

「ふうん、真の目覚めってこういうことなのね」

独り言を言った翔子は続けて言う。

「じゃあ、次のステップに入ろっか。明日から十時間勉強よ。今のアッシなら楽勝よ」

佳菜はにっと笑ってアッシに言う。

「大変ねえ。十時間勉強するんだって」

「あら、他人事《ひとごと》じゃないわよ。佳菜ちゃんも一緒なんだから」

「げ。何でウチが？」

佳菜は、愕然として翔子を見つめた。


ハイパーマンランド訪問の日を境に、アッシの幼い言葉遣いは完全に消えた。その後のアッシの進境は目覚ましく、機械工学だの生命倫理だの医学専門書だのといった学術領域トップレベルの書籍を、手にした翌日には消化してしまう。アッシに言わせると新たに覚えるのではなく、自分の内部に散らかっている知識を棚に納めるようなものらしい。整理整頓《せいとん》だけなら気楽なもんよね、と佳菜は羨望《せんぼう》をこめて呟《つぶや》く。

三週間後、アッシは再び田口の許《もと》を訪れ、改めて過去の自分を消さないという選択をした。こうして人工凍眠国内第一症例関連のプロジェクトは完了したのだった。

8. サイクロピアン・ライオン　二〇一五・〇五

「ＩＭＤＡ（国際薬事審議会）が、レティノの転移抑制薬『サイクロピアン・ライオン』を認可したそうよ」

翔子が高らかに告げると、ナースステーションに拍手が巻き起こった。

「本当に佐々木君ってツイてますね」

若い看護師の言葉に、翔子はうなずき、同時に力強く言う。

「そうね。でもそのツキは自分で引き寄せてるの。アッシは九歳の時自分で人工凍眠を選んだ。それが一番すごいことなんだから」

「両親が離婚し、両方とも引き取りを拒否したのに、それに耐えているし」

「ほんと、子どもたちの面倒見もよくて、病棟の人気者だし、私たちも助かるわ」

「でも一番の功績は、如月師長の栄養状態と精神状態を改善してくれたことよね。師長さんがいらいらしなくなって大助かりだわ」

腕組みをした翔子は、かしましく囀《さえず》る部下の看護師《ナース》たちをにらむ。

「ねえ、どうして誰も、あたしがアッシの面倒を見てること、褒めてくれないの」

「それは無理。だって師長さんの方が面倒見てもらってるんだもの」

古参の看護師の即答に、ナースステーションに笑い声があふれる。

〝真の覚醒《かくせい》〟からひと月、アッシの新生活が始まっていた。翔子は新たにマンションを借り、アッシと共同生活を始めた。日勤業務に専念し、夜はアッシと共に過ごした。翔子はずっとふつうの看護師と同じ勤務をしていたので、夜勤看護師がひとり減ることになったが、その代わりに画期的な提案をした。看護師の中には幼な子を抱える者も多く、日勤帯は託児所を利用しているが制約も厳しい。そこで日中空いているピロティに託児所を設定し、アッシがサポーターとして面倒を見るという仕組みを作ったのだ。

このシステムはアッシにもメリットがあった。アッシの社会的年齢は九歳で止まっているが、身体は十四歳相当に成長し、知識量は睡眠学習装置のおかげで、大学生レベルを凌駕《りょうが》している。どのレベルに合わせても、アッシははみ出してしまう。だからアッシのために特別な収容施設を構築する必要があった。万事が順調に見えたが、懸念もあった。加えてレティノブラストーマ転移抑制薬、『サイクロピアン・ライオン』の認可が日本では遅れていたのだ。遅れるだけならまだしも認可の目途すらついていない。数日前、眼科の平河《ひらかわ》教授に、翔子は告げられた。

「CTで、腫瘍《しゅよう》陰影に増大の兆しが見えている。まあこれは予想できたことだ。何しろ凍眠中も身体はゆっくりと成長している。それならガンも一緒に成長していてもおかしくはない」

翔子はうなずいてみせてから、反論する。

「人工凍眠では無用な代謝が停止するから、ガンの成長も止まるという説もあります」

「おっしゃる通り、この分野は未知の領域でわからないことだらけだが、理屈はともかく現実がこうなってしまった以上は、一刻も早く治療を開始したい。これ以上認可が遅れるなら、渡米も考えた方がいいかもしれない。あちらでは日常治療薬だからね」

「なんで日本ではいつまでも認可されないんですか？」

翔子の無邪気な質問に、平河教授は肩をすくめる。

「厚生労働省所管の外郭団体のＩＭＤＡでの検討が遅々として進まないからだ」

「理由はそれだけですか？」

平河教授はうなずく。

「連中は言い訳は上手い。やれ、アングロサクソンとモンゴロイドは薬剤に対する耐性が異なるだの、アジア民族特有のアレルギーに注意しなくてはならないため、追加の治験が必要だの。だが、そんなのは言い訳だ。単に事務処理作業がトロいだけさ」

「どうすれば早くなるんですか？」

翔子が急《せ》き込んで尋ねると、平河教授はのんびりした口調で答える。

「わかればとっくにやってる。いろいろ手段は講じたさ。『サイクロピアン・ライオン』に関しては人体特殊凍眠法に関わる重要案件だから病院長が陣頭指揮で掛け合っている。この日がくることを見据えて三年前から働きかけているんだが、どうにもならん」

これだと本当に、渡米も検討する必要がありそうだ、と翔子はがっかりする。治療となると最低三ヶ月のプログラムになるので、誰かが付き添わなければ。看護師長の重責にあり、対応できそうにない翔子は、日比野涼子にメールで相談した。

涼子はすぐに返事を返してきた。

「私も状況は憂慮してます。一刻も早い認可を祈念します」

涼子のメールはそっけなかった。アツシと渡米してもらえないか、という虫のいいお願いを切り出すこともできず、翔子は第二弾のメールを打てずに、一週間が過ぎた。そんな不安の中での朗報だったので、翔子が跳び上がるほど喜んだのも当然だった。


翔子は病院長室に向かう。ノックをすると返事を待たずに扉を開けた。驚いた表情で翔子を迎えたのは、高階病院長と、その側に佇《たたず》んでいる田口医師の二人だった。

高階病院長は笑顔になって翔子を迎え入れた。

「これはこれは、如月師長。そのお顔を見れば、ご用件は伺わなくてもわかりますよ」

翔子は高階病院長の側によると、深々と一礼した。

「アポもなしにすみません。ひとこと、『サイクロピアン・ライオン』の認可の件、ありがとうございましたとお礼を申し上げたくて。以上です。では」

退去しようとした翔子を、高階病院長が呼び止める。

「ちょうどよかった。如月さんをお呼びしようと思っていたところなんです」

翔子は振り返る。隣の困惑した表情の田口が印象的だった。

「御用とあれば残りますが。一体なんでしょうか」

「まず誤解を解いておきましょう。今回の認可の一件、私は関与してません」

「でも、平河教授は高階病院長が継続的に働きかけてくださっていたと……」

「それは事実ですが、独立行政法人となった一地方大学医学部付属病院の病院長がする陳情など、何の役にも立ちません。その証拠に私が最後に陳情したのは二ヶ月前、つまり佐々木君の覚醒前で、そのときのＩＭＤＡの反応は芳しくありませんでした。まあ、それはいつものことなんですが」

「それならどうして急に認可が下りたんですか？」

高階病院長は首を振る。

「わかりません。とにかく突然決まったので、相当の外圧がかかったのではと思われる節もありますが、厚生労働省の外郭団体ＩＭＤＡにそれほど影響力がある人物に心当たりはないのです」

翔子は拍子抜けした。だが高階病院長が嘘をつくとも思えない。アツシは強運の星の下に生まれた子どもなのかもしれない。

高階病院長は続けた。

「実は、如月さんと田口先生にお願いしたいことがありまして。これから医学論文を何本か、年内中に仕上げていただきたいのです」

あたしが田口先生と論文を？　翔子が高階病院長を見つめると、隣で静かな声がした。

「その件ですが、その研究、どうしてもやらなくてはいけませんか？」

院長のイエスマンと陰口を叩《たた》かれる田口が、高階病院長に異を唱えるのは珍しいことだった。病院長は忠実な部下の反旗に即答する。

「もちろんですよ、田口先生」

「なぜ、でしょうか」

「それが医学というものだからです。我々は従来の流れの中で、先人の努力のおかげで今の医療を享受している。だから我々は後世の人々のために研究を行なう義務がある」

「それでは、佐々木君はモルモットになってしまうのでは？」

高階病院長は田口を見つめた。そして、にいっと笑う。

「田口先生は一本も論文を書かずにセンター長の座にまで上り詰めたお方です」

田口がぼそりと言い返す。

「別に望んではいません。お門違いの業務を、私に押し付け続けた結果です」

「またそういうつれないことを。そうではなく、田口先生の前に出現する事象はすべて必然なんですよ」

その展開を聞きながら、翔子は田口に同情する。それは必然なんかじゃなくて、佐藤先生が言うところの、いわゆる丸投げ大王の御都合主義なのでは、と心中で呟《つぶや》くが、その言葉は決して水面に浮上してこない。高階病院長は淡々と続ける。

「というわけで、佐々木君の真の覚醒と睡眠学習効果を分析し、論文を書くという仕事が今、このタイミングで田口先生の前に現れたとしたら、それは必然なんです」

アッシの解析結果を論文に、ですって？

田口が渋っている理由を理解した翔子は、ずい、と一歩前に進み出る。

「あたしもお呼びのようですので、聞きかじりですが、意見を述べさせていただきます。あたしもアッシの、いえ、佐々木君のことを論文にするのは反対です。それは佐々木君のプライバシーの侵害になります。人工凍眠したのは佐々木君だけです。すると研究内容は、誰のデータか、すぐわかってしまう。そうなったらかわいそうすぎます。そっとしておいてあげて欲しいです」

高階病院長は、両手を組んで肘《ひじ》をつき、翔子を見上げる。

「如月さん、あなたは優しい看護師長さんです。でもトップは、時に非情な判断を下さなければならないこともある。いいですか、この解析結果は人工凍眠の存続の鍵《かぎ》を握っている。素晴らしい結果であれば、凍眠を一般化できる。だから佐々木君のデータは社会に還元する義務がある。それがこの論文を東城大の中心的戦略プロジェクトに指定し、広くアピールしていこうと思っている理由です」

「それって単に研究費を獲得したいためじゃないんですか」

遠慮のない翔子の言葉に、高階病院長は苦笑する。

「最近のウワサでは、どうも私は病院長の座を死守しようとするあまり、功を焦っているらしい。代わってもらえるなら病院長の座なんて今すぐ、黒崎《くろさき》先生や田口先生にお譲りします、といつも言っているんですが、信用されないんですよねえ」

「どさくさに紛れて縁起でもないことを言わないでください」

肩を落とす高階病院長に同情しそうになった翔子は、田口の言葉に我に返る。今日の田口は珍しく、きっぱりものを言っている。高階病院長はうなずいて、言う。

「田口先生と如月師長のタッグは強力ですね。うん、これなら希望が持てそうです。では角度を変えてご説明しましょうか」

高階病院長は腕組みをして目を閉じると、静かに話し始める。

「このままいくと、人体特殊凍眠法は封殺されてしまいます。現法律に従えば、日本では佐々木君が最初で最後の適用例になってしまうんです」

その通りなんだろうけど、それが何か問題なのかしら、という翔子の疑問を察知したかのように、高階病院長は続けた。

「これは佐々木君の不幸であると同時に、日本社会の不幸です。素晴らしい技術が真価を発揮しないまま、封印されてしまうんですから。だから我々には人工凍眠の成功者として、前向きにデータを評価する義務がある。そうすれば報告に基づいて法が変わり、真の目的の癌治療など薬物開発を待機するシステムとして再生できるかもしれません」

穏やかな口調だが、反論を封殺する圧力がある。だが、それでも翔子は、無謀にも病院の最高権力者に懸命に抗《あらが》う。

「おっしゃる通りかもしれません。でもそれって、佐々木君のプライバシーを日本中にさらしてまでやる意義、あるんですか？」

高階病院長は、翔子を見つめた。そして言う。

「ええ。我々がやらなければならないんです。他に誰もやれないんですから」

高階病院長は静かな声で続ける。

「さもないと我々は人類に対しサボタージュしたことになる。そのサボタージュで、どれほどの人々が悲しむことか、如月さんは身をもって知っているはずです」

「おっしゃっている意味がよくわかりません」

「この話は、『サイクロピアン・ライオン』認可の件と同じ構造です。認可会議で渋る人たちは、如月さんの論理と瓜《うり》二つです。小さなコミュニティが平穏ならそれでいいという、自己中心的で小綺麗《こぎれい》なアタラクシアだけを考えた結果なんです」

翔子は言い返そうと口を開くが、言葉が出ない。

——その通りかもしれない。

高階病院長は続ける。

「それに今回、東城大で解析をしなければ、厚労省科学研究班の統合研究が進行してしまいます。あの連中は自分たちにだけ都合のいいデータだけ出してくる御用学者のコングロマリットです。帝華大を中心としたアカデミズム独占体では厚生労働省に都合のいい研究結果だけがオーサライズされる。すると人工凍眠という、新たな可能性を秘めたシステムは、息の根を止められてしまうでしょう。素晴らしい可能性を秘めた新技術が、官僚の面子《メンツ》を立てるためだけに廃棄させられてしまうのは、バカげた話です」

高階病院長は一気に言い放つ。

「田口先生、如月師長。これは依頼ではなく院長命令です。佐々木君の心因反応やバイタルデータを駆使し、半年以内に英語論文を三本、仕上げてください」

言い返そうとした田口医師の機先を制するように、高階病院長は断言する。

「お二人ならやれます。この研究は他では行ないえない、画期的なトライアルなのです」

田口がようやく反論を小声で言う。

「半年で英語論文三本だなんて、いくらなんでも多すぎます」

高階病院長の目が次第に炯々《けいけい》と輝きだす。

「これでも少ないし、遅すぎる。相手は国家という強大なバックがついてる、厚労省の研究班の一大プロジェクトです。それが未来に開かれたものなら一矢を報いようなどとは思いませんが、素晴らしい技術を塩漬けにしようというマイナスの姿勢ですから、たとえ国家の意向といえども、真正面から叩き潰《つぶ》さなければなりません」

田口と翔子は何も言い返すことができず、一礼して部屋を退去した。

無言の退出は、承諾を意味する。部屋の外で、田口と翔子は、顔を見合わせてため息をついた。

「ここまで強引な高階病院長は久しぶりです。これでは従わざるをえませんね」

「あたしはもう少し、反論を考えてみます」

そうは言ったものの、翔子はその実現性が薄いことを感じていた。田口がふと、呟く。

「不毛な論争ばかり先走らせてしまって、実は私たちは一番大切なことを忘れていたのかもしれません」

「一番、大切なこと？」

「本人の気持ちです。まず佐々木君の気持ちを確かめるのが一番でしょう」

田口の言葉に、翔子はうなずく。

「本当にそうですね。それなら今からアッシを不定愁訴外来に受診させましょうか」

「それには及びません。こちらから参ります。ご一緒しましょう」

翔子はうなずいた。


ピロティではアッシが子どもたちの面倒をみていた。隣では佳菜が退屈そうに机の上にノートを広げている。そんなふたりをちらりと見て、翔子が声を掛ける。

「アッシ、ちょっと来て」

アッシは怪訝《けげん》な表情でナースステーションにやって来た。翔子は経緯を話し、研究に協力してくれるかどうか尋ねる。するとアッシはあっさり答える。

「別にいいよ。田口先生も僕のデータで論文をたくさん書いて、早く教授になってね」

「本当にいいのかい？」

「当たり前さ。研究はジュネーヴ宣言にのっとってるし、絶対必要なことだもの。ショコちゃんは僕のプライバシーを心配してくれるんだろうけど、もう家族もいないし、僕のプライバシーなんかどうでもいい。それよか未来のために何かしたいんだ」

自棄《やけ》でも捨て鉢でもない口調。アッシの方が自分よりずっと大人だと翔子は思う。

田口が小声で翔子に言う。

「案ずるより産むが易し、でした。それなら私も異存はないです。この研究は本人さえ同意してくれれば、命を奪わずに行なえます。仕方ない。少しがんばってみますか」

「あとは厚生労働省の研究班との競争ですね」

「それは大丈夫でしょう。こちらにはご本人の積極的な協力がありますから」

「つまりこれで負けたら、田口先生がヘタレってことですね」

「お願いですからこれ以上、無用なプレッシャーをかけないでください」

弱々しい田口の口調に翔子は、本当にこの人はこんな地位にまで登っているクセに中身は昔と同じ、ヘタレのまんまでちっとも変わりやしない、と呆《あき》れた。

その晩、翔子は涼子にメールを打った。IMDAで『サイクロピアン・ライオン』が認可されたことから始まり、高階病院長の申し出とアッシの反応を包み隠さず書いたら、一時間かかってしまった。送信するとすぐに返信があった。

「如月翔子さま。お知らせありがとうございます。薬の認可の件は、本当によかったですね。私もほっとしました。実は今まで黙っていましたが、私は間もなく遠い国に旅立ちます。佐々木君を陰ながらサポートしたかったのですが、法律で禁止されていますし、ちょうどいい機会と思いオファーを受けました。メールの設備が整っていない場所なので、メールのやりとりもこれが最後です。でも、どんな場所にいようとも、私は佐々木君のことを大切に思っています。遠い空の下から、みなさまの幸せをお祈りしています。アヤルヴィーダ。日比野涼子」

メールが使えないって、どんだけ遠い国なのよ、と翔子はメールに向かって呟《つぶや》く。そして、ふと思う。アヤルヴィーダって何だろう。そういえばこの間も、別れ際に同じ言葉を言われた気もする。だが、わざわざそのことでメールをするのもはばかられた。翔子は、涼子とコンタクトが取れなくなるという衝撃に、意気阻喪していた。どれほど翔子が涼子に依存していたか、改めて思い知らされた。

そしてひとり、パソコンの画面を眺め自問する。

アッシに、このことを伝えなくていいのかしら。

一週間後。

アッシと翔子の共同生活は順調だった。いつの間にか、アッシは高度な料理のレシピを身につけていた。アッシは自炊をしない翔子のため、ありあわせの材料で手早く料理を作った。

「最初はどうなるかと思ったけど、なかなかうまくやってるじゃない、あたしたち」

翔子が言うと、アッシは小声でぶつぶつ言う。

「あたしたちというより、僕がショコちゃんの尻拭《しりぬぐ》いをしているだけだと思う」

アッシの呟きは翔子の耳に届かない。その程度の行き違いはあるが、アッシが食事の支度をし翔子が食べる、というパターンが確立されつつあった。こうしていると翔子とアッシはずっとこうやって暮らしてきたし、これから先もずっとこの生活が続いていくような気もしてくる。

だが翔子もアッシもわかっていた。こんな生活は、決して長続きしないだろうということを。

だとしたら、アッシはいったい、どうなってしまうのか。

睡眠学習の成果で天才児になったとはいえ、アッシは身体の方は九歳のまま何のトレーニングもせず、羊水《メディウム》の中で漂っていただけなので、絶対的に体力が不足していた。アッシは、切れ味の鋭い薄刃のような存在だ。たとえば料理を作るだけでアッシは疲れ果てて、眠ってしまう。

こんこんとした眠りの中、時折アッシが、ママ、と呟く。枕元で腕を組み、深い闇の中、翔子はアッシの横顔を見つめている。

9. リインカネーション　二〇一五・〇六

六月。アッシが目覚めた日から二ヶ月が経過していた。

いつものように翔子が、病棟のナースステーションで朝の申し送りをしていると、細身の男性が姿を現した。見舞いの時間でもないし、患児の家族とも思えない。黒いアタッシュケースを提げた、黒ずくめの男はたいそう目立った。立っているだけで周囲の注目を浴びるタイプ。

ＭＲ（医薬情報担当者）や機械屋の印象もあるが、出入りの業者に知った顔はない。

男は左右を見回し、翔子にまっすぐ歩み寄る。思わず身構える。

——陽気そうな笑顔の人なのになぜ、こんなに緊張するのかしら。

男は翔子に言う。

「佐々木アツシ君はこちらに入院中でしょうか？」

翔子の警戒警報はマックス。まっさきに考えたのがアツシの両親の代理人たる弁護士だ。だが、父親、母親どちらの代理人にも、対応できる自信はない。

「失礼ですけど、どういったご用件ですか」

「失礼しました。僕は西野と申します。こちらに入院中の佐々木アッシ君に面会したいので、まずは担当医にお話を伺いたいのです」

西野はそう言って、ちらちらと病棟を見回す。

何だか斥候兵みたいだな、と思いながら翔子は尋ねる。

「どういったご用件でしょう？」

「実は、さる方の代理人として、佐々木アッシ君とコンタクトを取りたいのです」

翔子は腕組みをして、西野の顔を凝視する。やっぱりそうなのね。

　翔子はちらりとピロティを見る。アッシは子どもたちの面倒を見ていた。翔子は直感した。今、アッシをこの人と接触させてはならない。

「あいにく、この病棟には担当医はおりません」

え？　と驚いた表情の西野に、翔子は口調をがらりと変えて説明をする。

「ご存じとは思いますが、東城大学医学部はかつて、一度破綻《けたん》してます」

西野がうなずくのを見て、翔子は説明を続ける。

「病院撤退の際、オレンジ新棟は閉鎖施設の検討対象になりました。そりゃそうですよ。不採算部門の救命救急と小児科医療を一緒にくっつけてしまったんですもの」

「確かに経済センスにはいささか欠けているようです」

自分から口にした自施設の問題提起にもかかわらず、相手に肯定されてしまうと、それはそれで思わず言い返したくなるのが翔子の性分だった。

「でもね、地域住民にはものすごく喜ばれて信頼も篤《あつ》かったんですけど」

西野は淡々と応じる。

「それでもやっぱり、経営を司《つかさど》る事務部門からは悪評だったんでしょう？」

翔子は仕方なくうなずいた。だが、めげずに言い返す。

「オレンジ新棟は潰《つぶ》すべしと言われたんです。救命救急はどうしようもなくて、ギブアップしましたが、小児科はやり方を変えて何とか生き残れました」

西野は首を振り、解せないという表情で尋ねる。

「患者に面会に来た僕が、破綻前の東城大の内情を知ることに意味はあるんですか？」

翔子は小さく会釈をして続ける。

「背景をご理解いただけば、あとの話が早くなるんです」

その答え方が気に入ったのか、西野は興味深そうな表情になる。翔子は続けた。

「その時のゴタゴタのせいで、大学から小児科医がいなくなってしまいました。新しく小児科医を募集すれば経済的負担が増える。常勤ひとり増やせば年間一千万を超えますからね。そこで医師のいない滞在型病棟にして診察や治療は大人に準じた部署にその都度相談するという業務形態にしたんです。何かあれば病院の担当部署に診断してもらうことにして、以前の小児センターは消滅させたんです」

「なるほど。子どもを特別扱いするのをやめることで、余分なコストをカットしたんですか。確かにそれは合理的な判断です。それで今は、外部の申し出に対しては、病棟師長が対応している、というわけなんですね」

　まじまじと西野を見る。どうしてたったこれだけのやり取りで、そんなところまで理解できちゃうの？　だが、事態は切羽詰まっているので、ためらってはいられない。

　翔子は一気に核心を衝《つ》く。

「代理人というと、佐々木さまの代理人ですか、それとも……」

　翔子はアッシの母親の旧姓、あるいは今の姓を知らないことに気付く。知らない苗字《みょうじ》を名乗られたら、フリーパスだ。身構える翔子に、西野が告げたのは意外な名前だった。

「僕が代理人を頼まれたのは日比野涼子さまです」

　翔子は思わず動揺する。なぜ涼子の名が今、このタイミングで出てくるのか。

　遠い国に旅立ちます、という涼子の最後のメールの文章が浮かぶ。涼子の身に何かが起こったのだろうか。こうなったらきちんと話を聞かなければどうにもならない。

　翔子は口調を改め、看護師長室を指差した。

「でしたら、どうぞこちらへ」


　看護師長室に入った西野は周囲を見回した。

「師長さんの居室はもっと華やかだと思ってました」

　翔子はかちんときた。悪かったわね、女らしくない部屋で。

「ご用件は手短かにお願いします」

西野は楽しげな笑顔になって、言う。

「どうやらあなたは門番《ゲートキーパー》のようですが、日比野さんの代理人の僕には、あなたとお話する意味はありません。今、必要なのは佐々木アッシ君との面会だけなのです」

「本当に日比野さんの依頼だという証拠は何かありますか？」

西野は肩をすくめる。

「なかなか鋭い、いい質問です。その答えはイエスであり、ノーでもある」

やっぱり。涼子の名前を騙《かた》って何をしようというのか。翔子は西野をにらんで言う。

「本当に日比野さんの代理人かどうか、確かめられないのではこちらも対応できません。日比野さんは遠い国に行くというメールを寄越《よこ》したきり音信不通なんです」

西野は腕組みをして、天井を見上げる。

「なるほど、遠い国に行く、ねえ。まあ、間違いではないのかな。それにしても詩的な表現だな。そうか、あのメールにはそんな風に書いてあったわけね」

西野はうつむいて、ぶつぶつ呟《つぶや》く。

「言ってることはもっともだな。どうすれば僕が代理人だと信じてもらえるのかなあ。この件は直接には正式な委任状をもらっているわけじゃないからなあ」

正式な委任状がない？　とがめるような翔子の視線に対して悪びれる様子もなく、再び顔を上げた西野は、翔子から目をそらそうとしない。西野はぽつりと言う。

「『アヤルヴィーダ』とか言えば、信用してもらえるかな」

翔子は目を見開く。引っかかっていた符丁が、ふわりと浮上する。

「その言葉、どういう意味なんですか？」

「質問に答える前に、これで僕が日比野さんの代理人だと信じてもらえますか」

「信じる、信じないは別よ。まず意味を教えて」

西野は肩をすくめる。

「ま、もったいぶる話でもないから、いいですけど。『アヤルヴィーダ』はドゥドゥ語で、〝またお目にかかれる日に〟という意味です。つまり、〝さよなら〟です」

目の前が暗くなる。やっぱり涼子さんはあの時にさよならをしたんだ。でもどうして最後の言葉を、誰にもわからないドゥドゥ語で締めくくったのだろう。

「わかった。ちょっと待ってて」

翔子は立ち上がると西野を残し、足早に部屋を出て行く。ピロティで子どもたちと一緒にいるアツシに歩み寄る。

「アツシ、今すぐにあたしを代理人に指名しなさい」

アツシはぽかんとした顔で言う。

「何の話？」

翔子はいらいらして、首を振る。

「いいから、とっととあたしを代理人にする、と言いなさい」

アツシは肩をすくめる。

「ショコちゃんがテンパったら何を言ってもムダだもんね。わかった。ショコちゃんを代理人に指名する」

翔子はうなずくと、踵《きびす》を返し部屋に舞い戻る。所在なげに佇《たたず》む西野に告げる。

「日比野さんの代理人である西野さん、佐々木アッシ君にお話があるそうですが、その件につきまして、アッシ君の保護者代行で、代理人の私、如月翔子が正式にお話をうかがいます」

西野は浅黒い顔に白い歯を見せ、翔子の前の椅子に腰を下ろす。

「そう来ましたか。面白いなあ、これ。それにしてもどうして坊やに関わる方たちは、手強《てごわ》い女性ばかりなんだろう」

西野は続ける。

「では佐々木アッシ君の代理人の如月さんにご説明します。だけど賭《か》けてもいいですが、途中で佐々木君を呼んで話を聞かせたくなると思いますけどね」

「そうだといいですね、お互いに」

翔子は腕組みをして、無表情に答える。

十分後。翔子は西野の説明を途中で止めた。

「降参、あんたの勝ちよ。二度手間で悪いんだけど、もう一度最初から、直接アッシに説明してくれませんか？」

「もちろん。その方がお互いのためです。だけど僕は師長さんのここまでの行動がムダとは思いません。こうしてお互いの立場が明瞭《めいりょう》になり信頼が増したのですから」

翔子は腕組みをする。

「信頼、ねえ。それはまだまだよ。だってあなたの話、胡散《うさん》臭すぎるもん。でもあたしは日比野さんは信用してる。そしてアッシにとっても、日比野さんは大切なひと。だけどアッシは、まだそのことが全然わかってない。それを知るにはちょうどいい機会なのかもしれないと思っただけ」

「結構です。話を聞こうという気持ちになることは、信頼関係の第一歩ですから」

翔子は、何も言わずに部屋を出て行く。西野の戯言《たわごと》など、どうでもいい。今必要なこと、それはアッシをここに連れてくることだ。


「何だよ、ショコちゃん。代理人にしろと言ってたクセに、途中で無理やり他の人の話を聞けだなんて。それってつまり代理人の資格は返上したってことなんだね」

大人びた言葉を聞き流しながら、翔子はアッシの首根っこを摑《つか》み、椅子に座らせる。

「ごちゃごちゃ言わない。話を聞いてたら、早く本人に伝えた方がいい、と判断したから呼んだの。屁理屈《へりくつ》なんか聞かないわ。理屈であたしに勝とうなんて百万年早いわよ」

アッシは肩をすくめて苦笑する。そして部屋に入ると、見慣れぬ訪問者の西野に会釈する。西野は笑顔で右手を差し出し、アッシは戸惑った表情でその手を握り返す。

「まあ座って。話は長くなるから、缶ジュースでも用意しておいた方がいいかもね」

馴《な》れ馴れしい口調の西野の申し出に、アッシは首を横に振り、ノーと意思表示をした。

「ま、いいや。それじゃあ時間もないから本題に入ろうか。最初に、佐々木君の睡眠学習の確度がどの程度か、確認させてもらうね」

西野は聞きなれない言葉で質問をし、アッシはやはり聞きなれない言葉で即答した。

「グッド。アンクルベルトは外れ、自由に使いこなせるレベルに達してる。心強いな」

隣で翔子が苛立《いらだ》たしげに言う。

「さっきから何言ってるの。あたしにはさっぱりわからないんですけど」

「今のはロシア語、ポルトガル語、ドゥドゥ語、中国語、ヒンズー語で簡単な質問をして、答えてもらったんです。どうやら佐々木君は十ヶ国語は使いこなせそうです」

翔子は驚いた表情で尋ねる。

「そうなの、アッシ？　いつの間にそんなこと」

アッシが答える前に西野が説明する。

「これが人工凍眠学習機能の現実です。これだけで田口先生は論文を五本は書けます」

翔子は愕然《がくぜん》とする。どうしてこの人が田口先生の論文の件を知っているのか。院内でもまだ誰も知らないのに。そのことを知っているのは高階病院長と田口先生、あたし、それにアッシ本人くらいのはず。そう思って、翔子は気付く。

いいや、もうひとり、知っている人がいた。日比野さんにはメールで伝えたんだっけ。

西野が涼子の代理人だというのはどうやら本当らしい。西野は言う。

「では次に予測不能部分の確認をさせてもらいます。佐々木君自身が、凍眠についてどのくらい理解しているか、というテストです」

「どうしてそんな簡単なことが予測不能なの？」

思わず翔子が尋ねる。西野はあっさり答える。

「人は誰も自分の顔は見ることができないからですよ」

「鏡を使えば見えるでしょ」

西野は首を振る。

「鏡に映るのは自分の顔でなく虚像です。誰も自分自身の顔は直接は見られない。ということは凍眠をした人間の状態を理解できるのは外部の人間であり、本人ではない。これで認知系の論文が三本は書けます」

この場に田口がいないのは、彼にとって幸せだった。西野は質問を続ける。

「人工凍眠の間中、君はどんな気持ちがしてた？」

アッシは黙り込み、うつむく。それから首を振る。

「答えがわからないのか、それともどう表現すればいいのか、がわからないのかな」

アッシは無言のままだ。西野は日焼けした顔に白い歯を光らせて笑う。

「ま、いいか。今日ここに来たのは、君に業務を委託したいと思ってね」

翔子はとたんに目を見開く。

「そんな話、聞いてないわ。さっきはそんなこと、全然言わなかったでしょ」

西野は肩をすくめて、続ける。

「そりゃあ、仕方がないでしょう。だってその話をしようとしたら、その前に、如月さんはひとりで勝手にギブアップしてしまったんですから」

「それってあたしが聞いていた話とは、全然関係ないじゃない」

「本人に話すのと周辺に語るのが同じになるはずがないのは当然です。僕はせっかちなので、とっととケリをつけたい。代理人として直接話した方がいいと判断したんですから、おとなしくしていて下さい。すぐ済みますから」

ぐうの音もでなかった。翔子が黙り込んだのを確認してから、西野はアッシに言う。

「君に委託したいのは、未来医学探究センターにおけるスリーパーの生命維持業務だ」

アッシと翔子は唖然《あぜん》として、西野を見つめた。翔子がまくしたてる。

「何度も話の腰を折って悪いんだけど、これだけは質問させて。人工凍眠は特別立法の規定で、もうアッシしか受けられないようになっていると聞きましたけど」

西野はうなずく。

「そのとおりですが、実は抜け穴がありましてね。それにこの一件は管轄省庁である厚生労働省がひた隠しにしてる不祥事でもあるんです。だが結果的に新たなスリーパーが生まれれば、特別法案は自動的に継続して審議されることになる」

そう言って、西野はふたりに聞こえないように呟《つぶや》く。

——まったく、見事なものだ……。

「未来医学探究センターは、人工凍眠者の保護施設だけど保護されてたアッシはもういないし、担当してた日比野さんも遠くへ行ってしまった。あそこは今、空っぽよ」

翔子の強烈な反攻に、西野はすかさず応じる。

「実は師長さんが今言った言葉の中に答えがある。僕の言葉と重ね合わせて、最小エリアに封じ込めれば、何が起こったのか、そしてどうして僕がここにいるのか、自《おの》ずと謎は解けるはずです」

「あなたが言った言葉を、私の言葉と重ねてみれば謎が解ける、ですって？」

翔子は大きな目をくるくるさせて考え込む。そのとき、アッシが、ぽつんと呟いた。

「……わかった」

西野がにい、と笑う。まるでアッシがこのタイミングでその謎を解くことを予測していたかのように。アッシは首をひねり、口ごもる。

「でも、なぜそんなことを？……」

「人工凍眠で育成された人造神童は、事象の枠組みは見通せても、その発生理由まではわからないか。無理もない。君自身の人工凍眠に対する認知は禁忌エリアに指定されてるからね。タブーは人に闇をもたらし、その人間を弱くする。だから君は自分で克服しなくてはならない。まずは僕の申し出を受け入れることだ。そうして時間をかけて謎を解けばいい」

「なにを勝手に決めてるの。だいたい、これってどういうこと？　ふたりで勝手にわかり合っていないで、あたしにもわかるように説明しなさい。あたしを置き去りにするのは禁止よ」

　翔子がにらむと、アツシは肩をすくめた。

「僕に人工凍眠のサポーターになれ、という申し出が必然になる可能性はただひとつ。スリーパーの存在が僕にとっての特異点だ、ということ。それしか解はないですよね、西野さん」

「ファンタスティック。真実は隠し絵の中にある。答えはシンプルでも、単純であればあるほど、一度見失ってしまうと、二度と見出《みいだ》せなくなる。でも坊やは、その難関を無事にクリアした。ほっとしたよ。これで僕の人生の退屈が少し減りそうだ」

　翔子はアツシに言う。

「全然わからないよ。きちんと説明して」

　アツシは翔子に向き合って、言う。

「僕にオファーしたのはたぶん、対象者《スリーパー》が僕に縁深い人だからなんだよ、きっと」

　アツシの指摘に同意するように、西野は笑顔で拍手する。

　翔子はふたりを交互に見つめ、腕を組んで考え込む。アツシはその先の、別のことを考え込んでいる。やがて説明不足に改めて気づき、アツシはさらりと答えを口にする。

「たぶん、スリーパーは涼子さんって女性《ひと》なんだ、と思う」

指摘されて翔子ははっと顔を上げる。そして呆然《ぼうぜん》と呟く。

「まさか……」

だが、改めて翔子が手にしていた、思わせぶりな西野の言葉の断片を、アッシがさし示す絵柄に沿って当てはめてみると、ジグソーパズルの一片のように、すべてが矛盾なくかちりと、あるべき場所に収まってくる。西野はうなずく。

「ご明答。日本二例目の人工凍眠者は僕のクライアントの、日比野涼子さまです。日比野さまのケアを全面委託された僕は自分の判断で、佐々木アッシ君に日比野さまのサポーターになるように依頼しにきた。ですからクライアントは日比野さまであり、日比野さまではないのです」

アッシと翔子は顔を見合わせ、黙り込む。やがて絞り出すように、翔子が言う。

「どうしてそんなことを？」

「建前は、世界で人工凍眠を体験している唯一人の少年だから、といったところかな」

西野は日焼けした顔に白い歯並びを見せる。アッシは翔子に言う。

「涼子さんって、遊園地につきそってくれた人だよね。どこかで見た気がしたんだけど、ネットで検索して見つけた。未来医学探究センターの責任者だったんだね、あの女性《ひと》」

そのウェブサイトは翔子も見たことがあった。

──でも涼子さんの写真なんて載ってたかしら？

翔子の疑念を吹き消すように、アッシは翔子に尋ねた。

「ねえ、涼子さんって、どんな人だったの、ショコちゃん？」

「やさしい女性《ひと》よ。五年の間、ずっとあんたのメンテをしてくれてたの」

アッシは今度は西野に向き合う。

「でも、だからってどうして僕がその人の面倒を見なくちゃならないんですか。僕の維持のために財団法人が設置され、あの人は専属職員として雇われてたんでしょう？　でも僕の面倒を見てくれていたのは仕事なんだから、僕が引き継ぐ義務はないはずです」

西野は笑顔で答える。

「どうやら坊やは頭でっかちの天才坊やになり果ててしまったかな。人の感情というものをどこかに置き忘れてきたみたいだね。このままじゃあ日比野さんが悲しむから、ひとつだけ教えてあげよう。これは出血大サービスさ」

あいまいに浮かべていた笑顔をきっぱりと吹き消して、西野はアッシにまっすぐな視線をぶつける。

「この世界で一番大切なのは感情だ。坊やが五年間、眠りついでに詰め込んだ知識なんて所詮《しょせん》はがらくた、感情という糸で編み上げなければ、やがては散らばったジグソーのピースのように、虚《むな》しく飛び散ってしまうものなのさ」

「何で会ったばかりのあなたに、そこまで言われなくてはならないんですか」

アッシは西野を詰《なじ》る。西野は笑顔で答える。

「言ってくれる人がいるうちが花だよ。坊やは天才少年としてちやほやされて、いつしか自分を見失うよ。少なくとも、僕の申し出の理由がわからないようなら、ね」

がたり、と椅子を鳴らし、アッシは立ち上がる。その服の裾《すそ》を摑《つか》み、翔子が言う。

「ちょっと待って。むかつくのはよーくわかる。あたしもおんなじ気持ちだもの。でも、ここで怒ったら負け。今は話を聞きましょう。この人が言おうとしていることには、何かとっても大切なことがあるような気がする」

アッシは何か言いたげに翔子を見下ろしたが、その強い視線に抗《あらが》えず、すごすごと椅子に座り直す。同じ目線になった西野と視線をぶつけ、アッシは尋ねる。

「そこまで言うなら、どういうことか、きちんと教えてください」

「グッド。それでこそ真の天才少年だ」

西野は翔子とアッシに、一枚の紙を差し出した。そこには一行、こう書かれていた。

――スリーパーをひとりぼっちにしてはならない。

「これこそが、日比野さんを自らコールドスリープという選択に導いた、その理由さ」

西野の回答に、翔子は首を傾げる。

「なあに、これ？　何かの暗号？」

「まあ、そんなものだ。これはモルフェウスを守るため日比野さんが取り組んだ謎解きさ。出題者は『凍眠八則』の提唱者にしてゲーム理論の第一人者、マサチューセッツ工科大の曾根崎伸一郎教授。彼女はこの謎に真正面から取り組んで、ついにその謎を解いた。それはプリンシプルの決定的な欠点を補正する、勇気ある解答でもあったんだ」

「わけわかんないんだけど。だいたい、モルフェウスって何のこと？」

翔子の質問に、西野はびしりと指先をアッシに突きつける。空気が切り裂かれたように感じて、アッシは思わず身をすくめる。やがておずおずと尋ねる。

「まさか、僕のこと？」

西野はうなずく。

「ギリシャ神話の眠りの神、モルフェウスになぞらえ、日比野さんはかつて君のことをそう呼んでいた」

アッシは新幹線の中、自分の横顔に注がれた視線を思い出す。それを感じながら窓の景色を眺めることは、快かった。その視線は、アッシが眠り続けた五年間、自分を包み込んでいたというのか。

アッシの中で論理の歯車がかちりと音を立てて合わさった。

「依頼理由はわかったけど、涼子さんが人工凍眠した、その理由がわかりません」

西野はふたりから紙を取り上げると、空にかざすようにして見上げる。そして言う。

「スリーパーをひとりぼっちにしてはならない。深遠な言葉だが、単純なことさ。人工凍眠の対象者はこれまで坊やひとりしかいない。問題は凍眠中に人格権が停止されるという『凍眠八則』の第二項にあった。その懸念を日比野さんは『凍眠八則』の発案者、曾根崎教授に直接ぶつけたんだ」

「あのステルス・シンイチロウに、ですか？　何て無謀な」

アッシは高度な学習機能を習得して、ここ二月で恐ろしいまでの情報処理能力を身につけ、今や一般教養レベルで曾根崎教授の知識までも獲得していた。西野はうなずく。

「本当に無茶だよね。大リーグのスラッガーに、草野球のエースが挑むようなものなんだから。でも日比野さんは堂々とマウンドに立ち、ステルス・シンイチロウと互角に渡り合い、きりきり舞いさせた。すべては、ここにいる坊やを守りたいという一心で、ね」

アッシの視線が揺れた。

「そんなこと、突然僕に言われても……」

「確かに坊やの知ったことじゃない。だから坊やはオファーを断ってもいい。全然構わないさ。僕がここに来たのもほんの気まぐれな思いつきからだし。短い人生、どんな風に生きたとしても、どうせ百年後には誰も覚えちゃいないんだし、ね」

西野は黙ってアッシを見つめる。やがて静かに口を開く。

「英知の宝石ってヤツはたいてい、くだらないと思える話の一番最後に転がっている。いいかい、五年間も人格停止された人間なんて日本どころか世界中探したって存在しない。おまけにその異例の法律は君の目覚めと同時に廃止になる運命だ。するともう誰もこのことを真剣に考えようとしなくなる。このままいけば、君の個人的なデータは、倫理的な制限を一切受けずあちこちで濫用されてしまうだろう。つまり君の過去がずたずたにされてしまうんだ」

アッシはため息をついて、答える。

「仕方ないよ。パパもママも僕を捨てた。今はショコちゃんが面倒見てくれてるけど、いつまでも甘えていられない。ひとりで生きていくならストリップしなくちゃ無理さ」

「坊やは坊やなりに、この世の真理ってヤツは摑んでいるらしいな。だけど世の中には、他人にストリップさせて自分は何一つ傷つかず、ぬくぬく毛皮にくるまって安全地帯から見下ろしているヤツらもいる。そんな連中に、やがて君は徹底的に搾取されてしまうだろう。それは、勇者にとって屈辱以外の何ものでもない」

西野はそこで息を切った。そして言う。

「だから日比野さんは凍眠を自ら選択した。君の尊厳を守るために、だ」

西野の言葉に、アッシは黙り込む。西野は続ける。

「日比野さんは、君が目覚める直前の四月、心を決めた。そして僕は、彼女の代理人になるよう依頼された。惚《ほ》れた弱みで引き受けざるを得なかった。何とも冴《さ》えない話さ。他の男に懸想している女の願いを叶《かな》えるなんて、砂を嚙《か》むよりも虚しいことなのに」

西野の言葉の真意が理解できない表情をしているアッシを見て、西野は苦笑する。

「まだ坊やには早かったたな。まあ、いいや。とにかく僕は、日比野さんから凍眠を選択したいと聞いたとき、本当にびっくりした。がちがちに塗り固められた法律上、絶対不可能に思えたからさ。でも条文を仔細《しさい》に再検討してみて、驚いた。日比野さんは官僚が凍眠を完全凍結させようとした条文をひらりと飛び越えていた。なぜそんなことが可能だったか、わかるかい？」

　アッシは首を振る。西野の言葉はアッシにとって苛酷《かこく》な福音だ。西野は肩をすくめて、子猫のようにおとなしくなった虎の子の頭を撫《な》でる。

「本当なら君が自分の力で解くべき宿題なんだ。だけど、謎が多すぎると、坊やは癇《かん》癪《しゃく》を起こすだろう。だから、これは大サービス、感謝するがいいさ」

　アッシはうつむく。何を言われても、力無き者は甘受するしかない。西野は続ける。

「人工凍眠という革新技術に対し、官僚が張り巡らした柵《さく》は一見完璧《かんぺき》だったけど、ただ一点、大きな穴があった。自分の利益を度外視した人間の立場から見ると、そこには柵がなかったんだ。でもこれは官僚を責められない。自分の利益を度外視するバカなんてふつういないからね」

「何言ってんだか、さっぱりわからないんですけど」

　西野の一気の言葉に、たまらずに翔子は口を挟む。ちらりと隣を見ると、どうやらアッシも同じ気持ちのようだ。西野はうっすら笑って答える。

「ぶっちゃけ言えば、日比野さんがコールドスリープしても、彼女は何も得をしない。そして官僚は、世の中にそんなことをする人間《バカ》がいるなんて思いもしなかったのさ」

　アッシと翔子は、きょとんとした顔を見合わせる。西野は吐息をつく。

「ここまで言ってても、まだわからないか。ま、いずれわかるんだろうけど」

　立ちすくむ二人を前に、西野は颯爽《さっそう》と立ち上がる。

「さて、あとは現実的な側面の話だ。坊やには経済的基盤がない。だからこれは坊やの自立のために一番いい選択肢でもある。何しろ、微々たる額だけど、しっかり給料をもらえるからね。仕事をしながら坊やは、自分が何者か、毎日考えることができる」

翔子とアッシは顔を見合わせる。今の不安定な生活がいつまでも続きそうにない、という危惧《きぐ》は、誰よりもふたりが感じていたことだ。アッシが絞り出すように言う。

「僕が断ったらどうするんですか？」

西野は答える。

「他の誰かを探すさ。僕は全権委任された代理人として、まずは僕の考えるベストの人選に当たってみただけのこと。ベストは尽くすが、できるかどうかは別の話だからね」

西野は部屋を出て行きながら、振り返る。

「返事は一週間待つ。だけどとりあえず明日は、未来医学探究センターに来てみたらどうかな。いろいろなことがわかると思うよ」

そして、立ちすくんでいるアッシに、止《とど》めをさすように言う。

「自分がどこから来てどこへ行こうとしているのかわからない人間は、いずれ影を亡くしてしまう。そうしたらソイツはゾンビと同じさ」

次の瞬間、西野は煙のように、ふたりの前から姿を消した。まるで自分をステージ上から消し去るマジシャンのように。

西野は未来医学探究センターの一階のソファに横になっていた。地下には新しい眠りの女神、モルフェエンヌが眠っている。だが西野はその側に行く気にはなれなかった。

西野はグラスをあおる。

——ち、あんなガキが相手だったとはね。

西野は打ちのめされていた。一ヶ月間、涼子が眠りにつく前に渡された指示書通りに動き、すべては涼子の予想通りに動いていた。周囲の人々をチェスの駒のように扱うことに長《た》けていた西野にとって、自分自身が手駒として扱われるという経験は、生まれて初めてだった。それは、西野にとっては屈辱でもあったが、同時にわくわくするような新鮮な経験でもあった。

涼子が凍眠して以降、西野は大量の酒を必要とするようになった。もともと不眠症だったが、輪を掛けてひどくなった。いくら飲んでも眠れない。それでも意識にひりりとからみつく香辛料のような刺激を、強いアルコールで薄めることはできる。

酔いどれた西野は、涼子が凍眠して一週間後のできごとを思い出す。

それは風薫る五月中旬のことだった。

足早に入ってきた男は、時計を見て、「五分遅れたな」と呟《つぶや》く。部屋の真ん中に座る西野を見つめ、震えを押し隠して怒濤《どとう》のように言う。

「君は一体誰だ？　どうして私をこんな辺鄙《へんぴ》なところに呼び出した？　私のメールアドレスをどうして知ってる？　それより日比野君だ。彼女はどうした」

対する西野は、昼間なのにアルコールの匂いを身に纏《まと》い、目の前で機関銃のように自己防御の銃弾を撃ちまくる涼子の上司を見つめていた。

おみごと。事前推測の的中率九割。涼子が手渡した指示書にあるとおりの反論を、涼子の上司は過不足なくこなしていた。西野は、少し涼子の指示から外れてみることにした。これくらいの娯楽がなくては、ばかばかしくてこんな茶番はやっていられない。

「興奮なさらないで、八神《やがみ》所長。今から、ひとつひとつ説明します」

男の言葉がぴたりと止まる。異次元の生物を眺めるように、西野を見つめた。咳払《せきばら》いをして、声のトーンを落とす。

「では、納得のいく説明をしてもらおうか。まずは、日比野君が今、どこにいるのか、そして君は誰で、何の権限があってここにいるのか。君は私をわざわざこんな辺鄙な場所まで呼び出して、何を言おうとしているのか。さあ、説明したまえ」

「OKです。ですが今の質問はロジカルなシーケンスになっていませんので、こちらから順不同でお答えいたします。まずは自己紹介から。私はヒプノス社のモルフェウス・システムの担当、西野と申します。私が所長をお呼び立てしたのは、日比野涼子さまから委託されたからです。私は日比野さまの代理人なのです」

「日比野君の代理人だと？　それなら私の代理人にもなるわけだ。なにしろ私は日比野君の上司なんだからな。それならば今から私が君に指令を出そう。今すぐここから出て行きたまえ」

　西野はシニカルな笑みを浮かべる。

「それは、私が受けた依頼に対し利益相反になるため、お受けできません。仮に私がその指示に従ったら、所長はいっそう困った立場におかれることになりますし」

「私を脅すつもりか。いったい何が目的なんだ？」

「質問に質問を重ねるのは御法度です。ただでさえ論理骨格が不明瞭《ふめいりょう》な官僚文法をお使いなので、互いのコミュニケーションが不可能になります。では次の質問への答えです。日比野さまが今どこにいるのか、そしてなぜ所長をお呼びしたかという疑問は同時に答えるのが効率的です。日比野さまは今、ここの地下室にいらっしゃいます」

「上司である私が来たのに、迎えにも出てこないのか？　代理人なら彼女に対し業務不履行で問責委員会に掛けるぞ、と伝えてくれ」

　西野はため息をつく。そして小声でひとりごとを言う。

「ほんとに話しづらいな。まあ、それもすぐ終わるんだけど」

　そして顔を上げ、所長の問いに答える。

「日比野さまのお出迎えは不可能です。日比野さまは凍眠に入り今日で一週間になりますので」

「ひ、日比野君が、コールドスリープしてる、だと？」

ひっくり返る声で鸚鵡《おうむ》返しに言い放つ。八神所長は自分自身が発した言葉の意味が、異国の言葉のように理解できないでいる風情だった。

だが、やがて突然その意味を理解した所長は、西野に目もくれずまっしぐらに階段を駆け下りて行った。

西野は時計を見て、呟く。

「所長が地下室に駆け込むまで十四分十八秒。涼子さんの推測は十五分プラスマイナス一分だから、ビンゴだな。これほど理解されてるなんて、愛されてる上司だよ」

西野は立ち上がると、ゆっくりした足取りで地下室に下りて行った。

所長は涼子の机に座り、キーボードを叩いていた。業務日誌をすぐに探し出したところを見ると、どうやら愚鈍ではなさそうだ、と第一印象を修正する。所長は一心不乱にモニタを凝視している。やがて顔を上げ、銀の棺《ひつぎ》に眠る涼子に歩み寄る。

「何ということをしでかしてくれたんだ。独断でこんなことをされたら、もう懲戒免職にするしか他に手がないじゃないか」

棺に手を置き、ぼそりと呟く所長に、西野は言う。

「それは不可能です。日比野さまは私を代理人に任命しましたが、これは所内規約第七条三項に準拠した判断ですので」

「そんなことはわかってる。サポーターが何らかの理由で業務遂行不能に陥った場合、緊急性によって代理人を指名できる。ただしその場合、一週間以内に理事会の裁可を受ける必要がある、というアレだろ」

所長はすかさず条文を暗誦《あんしょう》してみせた。西野は驚いた顔で言う。

「全文を暗記していらっしゃるのならおわかりでしょう。日比野さまの判断は合法で、所長はそれに従わなければならない、ということを」

所長はうなずく。

「私は不祥事を穏便に解決したいだけだ。このままでは理事会の認可は絶対に下りないぞ。人体特殊凍眠法は廃止されるし、それに伴い未来医学探究センターの廃止も内々に決定してるんだからな」

西野はシニカルな笑顔になる。

「そして所長は厚生労働省の外郭団体・ＩＭＤＡの常任理事に天下り、現在二重の肩書きをお持ちで、ここが潰《つぶ》された後はＩＭＤＡの理事長ですか。明るい未来ですね」

所長は口をあんぐり開け、西野を見た。この追撃は予想外だったようだ。

「どうしてキミはそんなことまで……」

西野は紙の束を机に投げ出す。所長は取り上げるとその書類をぱらりと眺める。

とたんにその顔が青ざめた。

「キミィ、これは一体どういうことなんだね」

西野は、にこやかに答える。

「日比野さまのメールから、過去の業務データを解析し、それを手掛かりに私が独自に持っているチャンネルの情報と合わせてみると、ある絵柄が浮かび上がってきます。このレポートには日比野さまの情報は一切関係しておりません。どれもこれも、そこらへんのジャーナリストが簡単に入手できる程度の情報を元にした推論です」

「そ、それがどうした。私は別に不法行為はしていないぞ」

「今までは、ね。でも未来医学探究センターを潰したら、その時は不祥事が噴き出てきそうですけど。ま、天下りを憎むこと天下一品の民生党政権には絶好のターゲットになるでしょうしねえ」

「や、や、やっぱり私を脅迫しているじゃないか」

西野はにっこり笑う。

「私は来るべき未来を、ほかの人よりもほんの少し遠くまで見通せる。ただそれだけなんです。なのでこうして未来におけるリスクを前もって所長にお伝えしているだけです。これも八神所長の忠実な部下、日比野さまの依頼なのです」

「どういう意味だ？」

「所長の霞が関での地位はできるだけ保全して欲しい。それが日比野さまのもうひとつの依頼です。これも所長の人徳ですね」

所長の表情が理解不能という感情を露《あら》わにして歪《ゆが》む。そして吐き出すように言う。

「どうして未来医学探究センターを潰してはいけないんだ？　人工凍眠は撤退すべき危

険な技術だと、厚生労働省の研究班も決定した。もっとも、その勧告はまだ公表されていないが……」

「所長は本当にラッキーですね。もし公表されていたら、取り返しがつかないことになるところでした。それならなぜ二例目の凍眠を強行したんだ、と糾弾されますから」

所長は呆然《ぼうぜん》と西野を見つめた。

「君はどうしてそこまでこのシステムに肩入れをするんだ？　代理人を頼まれただけなんだろう。今すぐに彼女を覚醒《かくせい》させたまえ。それで全部チャラにしてやる」

西野の唇から笑みが消えた。立ち上がると所長を見下ろし静かに言う。

「どうしてそこまで肩入れするのか？　よくぞ聞いてくれました。理由は簡単です。このシステムの生みの親は、この僕なんですよ」

所長は言葉を失った。その短い言葉が、すべての疑問を氷解させた。西野はがらりと表情を変える。身をかがめ、所長の耳許《みみもと》に顔を寄せ、ドスの効いた低い声で言い放つ。

「こんな優れたモノをあんたら官僚の、下司《げす》な思惑で潰すわけにはいかないんだよ。目の前で子どもが殺されるのを黙って見過ごす親はいないだろ」

西野を見上げ呆然としている所長に向かって、鞄《かばん》から取り出した紙の束を投げつける。

「これは日比野さんとあんたの交信記録だ。これに予算を当てはめてみると、総額が合わない。五年で総額十億のカネがどこかに消えてる。もしもこのままセンターを潰したら優秀なメディアを使ってこの件を徹底的に追及させてもらうからな」

凝固した所長を見下ろし、小さく咳払《せきばら》いする。

西野は穏やかな口調に戻る。

「私の願いごとなど、所長のお力をもってすれば叶《かな》えるのは実に容易《たやす》いはずです。官僚の皆さんの得意技、専守防衛の現状維持に徹していただければいいのですから」

「どういう意味だね。具体的、かつ明瞭に言いたまえ」

震える声で言い返した所長に、西野は通告する。

「私の要求はシンプルです。日比野さまの凍眠状態を追認し、センターを存続していただきたい。ただそれだけです」

所長は西野を見、黙り込む。西野が追い打ちをかける。

「ダメダメ、考え込むフリをしても。クリーンなカネなら突っ張れるけど、私はすでにそのカネがどこに流れたか、完全に把握してます。もはや所長には勝ち目はありません」

「あの十億の行き先を把握している、だと？」

西野はうなずく。その呟《つぶや》きがこぼれ落ちてしまった時点で、勝負はついた。所長は信じられない、という様子で首を振る。だが西野の言葉は確信に充ちている。

「……どうしてそんなことが」

か細い声のその問いに答えるほど、西野は親切ではない。長い沈黙がふたりの間を覆う。やがて、ひとつの吐息が流れ、所長を支えていた何かが崩れ落ちた。

所長は力なく言う。

「わかった、と言いたいところだが先日の理事会で廃止方向で意思決定されてしまった。私なんぞの力では、もはやどうしようもないんだ」

「そんなことありません。臨時理事会を招集しセンター存続方向に転換した、という結論に塗り替えれば、充分間に合います。あなたにならできる。何しろあなたは〝所長〟なんですからね」

「だが、そんなことをしたら本省が……」

西野は笑う。

「ま、多少はごたつくでしょうね。でもいまさら本省の顔を立ててどうするんです？このままいけば、あなた自身が破滅するんですよ。そこまでして本省に忠誠を誓うつもりですか？」

「このままでは運転資金がショートするぞ」

「その点はご心配なく。そのあたりの話は当方でつけてありますので」

「年間二億の運営費など、そう簡単にひねり出せるものではないだろう」

懸命に踏みとどまる所長に引導を渡すように、西野は答える。

「大丈夫です。センターの管轄を厚生労働省から文部科学省に移し替えますので」

「なぜ文科省がしゃしゃり出てくるんだ？」

縄張り意識の本能が前面に出て、所長の口調が強くなる。

「どうだっていいじゃないですか、そんなこと。どうせ厚生労働省は廃止と決定した、役立たずの施設のことなんですから」

「では質問を変えよう。後学のため教えて欲しい。文科省が食いついてくるようなネタなんて、こんなチンケな研究所にあったのかね？」

「もちろんです。ま、それくらいはサービスでお教えしましょう」

西野はシニカルな笑顔で所長を見下ろす。

「人工凍眠による高度教育システムの樹立です。日本を率いるエリート軍団を、潜在凍眠教育システムで育成する。眠っている間に、最高の知性と揺るぎない忠誠心を持つ少年戦士を輩出するシステム。それは何と豊穣《ほうじょう》な〝眠り〟であることでしょう」

西野は恍惚《こうこつ》の表情で続ける。

「優秀な所長なら、今のヒントだけでおわかりでしょう。これは新世紀の富国強兵策です。このシステムを回しドラッグ・ラグ難民も救済するシステムに組み直す。これこそがモルフェウス・システム蘇生《そせい》のシナリオです。あなた方厚生労働官僚のみなさんはこうした可能性を、我執に囚《とら》われた色眼鏡で仕分けてドブに投げ捨てようとしたんです」

「……そんなシナリオ、霞が関は絶対に容認しないぞ」

「霞が関の論理に従えば、無理でしょうね。でも中には気概ある官僚もいる。たとえば本件の道筋をつけた文科省の小原《おはら》室長は具眼の士です。彼女は見かけは可憐《かれん》な女性ですが、中身はなかなかの剛腕です。実はすでに、先日の霞が関上層部のバーター会議で内々に話がついていますす」

「そんなバカな……」

うめくように言う所長は、西野を見つめる。そして震え声で尋ねる。

「いったい、あんたは何者なんだ？」

西野は胸を張る。

「ヒプノス社のしがない技術者ですよ。ネット界では時々マニッシュ・リーパーと呼ばれているようですけど、ね」

所長は、ふらつく足取りで立ち上がる。部屋を出ていこうとして、ちらりと銀色の水槽に眠るシルエットを見つめる。その背中に西野は陽気な声を投げかける。

「そうそう、もうひとつ大切な依頼を忘れてました。先日の会議で保留されてしまったレティノの転移抑制薬『サイクロピアン・ライオン』の認可も、今週中にして下さい」

所長はぎょっとした表情で立ちすくむ。ゆっくりと振り向くと、うめいた。

「あちらはまだ理事になりたてで発言力などないから、それこそ絶対に無理だ」

「そんなことはないでしょう」

西野は別の紙片を投げつける。散乱する紙の一枚を拾い上げた所長に、滔々《とうとう》と告げる。

「一昨日《おととい》の議事録を読めば『サイクロピアン・ライオン』認可に反対しているのは、八神所長、あなたひとりだけだ、ということはわかります。あなたが発言を撤回すれば、この薬は直ちに認可されるはずだ」

「いつの間に、こんなものまで……議事録は非公開のはずなのに」

「役所の外郭団体のPCなんて、裏口の鍵《かぎ》をかけてない銀行みたいなものですからね。その気になれば情報はダダ漏れです。もっともこれは非合法な取得法ではありません。ルートは情報源の秘匿で教えられませんが」

西野は続ける。

「この薬の認可を所長が保留したのは、たったひとりのスリーパー、佐々木アツシ君がこの薬の認可を待つために人工凍眠したからでしょう？」

「何を根拠に、そんな……」

声が震えている。西野は低い声で言う。

「『サイクロピアン・ライオン』がこのタイミングで認可されたら、人工凍眠の業績になり、法律が見直されてしまう可能性が高いからです。役人連中は本当に困った人たちです。自己保身のために、真実まですりかえるんですから。ひとつお聞きしたいんですけど、あなた方は佐々木君が自分のお子さんだったとしても同じ判断をするんですか？」

西野は強い口調で言うと、小さく咳払いをして、笑顔になる。

「失礼。柄にもなく興奮してしまいました。依頼は簡単で『サイクロピアン・ライオン』の認可、そして未来医学探究センターの存続を今週中に決定すること、そのふたつです。もし、それができなかったら……」

「……できなかったら？」

「来週あたり、興味深い番組がテレビのワイドショーあたりで見られるでしょうね」

西野は手招きする。吸い寄せられるように近づく所長に、西野は携帯電話を見せる。

「つい一時間ほど前に、厚生労働省関連団体の不祥事発覚か、と知り合いのメディア連中に思わせぶりな一報を一斉メールしたら、七人も食いついてきました。ハイエナみたいに死肉を嗅《か》ぎ当てることに関しては天下一品の連中ばかりですよ。ほら」

所長は携帯電話の着信メールのリストを見て青ざめる。

「バッサリ斬るド！……朝から丸儲《まるもう》け……プライムエイト……どいつもこいつも」

呟いた所長は西野の顔を見ずに言う。

「指示通りにしたら、本当にこの件は見逃してくれるんだな」

「もちろん。初めに申し上げましたが、日比野さまは所長の破滅は望んでおりません。所長は賢明な方ですからご理解していただけるはずです、とおっしゃっていました」

所長は凄《すご》い目つきで、西野をにらみつける。それから言う。

「依頼を果たしたら、どうやって報告すればいい？」

「日比野さまのメールに報告してください。私は代理人としてメール管理も任されていますから。宛て名は日比野さま宛てでも、私宛てでも構いません」

「では、日比野宛てに今週中にメールする」

吐き捨てるように言うと、所長は重い足取りで姿を消した。

三日後、律儀な所長から日比野涼子宛てに一通のメールが届いた。そしてそれ以降、西野は、腹をすかしたヒナ鳥のように鳴きわめくメディアからのメールを黙殺した。

八神との会談を思い出すと、今でも笑える。あの夜は腹の底から大笑いしたせいか、久しぶりに熟睡できた。依頼を遂行したご褒美に、涼子が一服の眠剤を処方してくれたのだろう。

西野は大きく伸びをした。あの所長との低俗なやりとりなどは、ほんのアントレにすぎない。メイン・ディッシュは明日の天才少年と、それにかしずく勝ち気な侍女との舞踏会だ。彼らはこの神殿でどんなダンスを踊ってくれるのだろう。そしてそのダンスを、眠り姫は果たして喜んでくれるのだろうか。

ベルが鳴り響いている。西野はのろのろと身体を起こす。食前酒を飲みすぎて食事も摂《と》らずにソファで眠りこんでしまったようだ。

眠い目をこすりながら、重い身体を引きずるように扉の所に行くと、一気に開け放つ。午前の明るい陽射しが、薄暗い部屋としょぼついた西野の目を直撃し、眩暈《めまい》を覚えた。視野には、覚醒《かくせい》したモルフェウスと、ひかりの女神が寄り添い並んでいた。

西野は、口笛を吹いた。

眠り姫《モルフェエンヌ》が見たら、さぞ嫉妬《しっと》することだろう。

アッシは緊張した面持ちで、地下への階段を下りる。目の前には軽やかな足取りの西野の背中。これほど離れていてもアルコールの匂いがぷん、と漂ってくる。隣では翔子があからさまに顔をしかめている。階段を下りきると、西野は振り返り、階段途中のふたりを見上げて言う。

「坊やの原点、懐かしの神殿へようこそ」

アッシはさっきから弱い負の力を感じている。それは、決して来てはならない、という領域が発するシグナルではなく、準備ができていない者の訪問に対する軽い警告のように感じる。そのシグナルは銀色の水槽から発せられていた。おそるおそる水槽に近づく。自分が五年間眠っていた場所だ、という覚醒後に仕入れた知識が、実感に変わる。

そして今、水槽の中には自分を五年間コントロールしてくれた恩人が眠っている。

アクリルの窓に指を触れる。透明な液体が充《み》たされた水槽は青い光に包まれ、窓はひんやりと冷たい。水底に女性が横たわっている。裸かと思ったが、よく見ると身体の稜《りょう》線《せん》にぴったり張り付くボディスーツを装着していた。

その時、アッシの脳裏に、フラッシュのように涼子の笑顔が浮かび、指先から心臓にかけて、しびれるような衝撃が走った。ちらりと見たその横顔は、新幹線の中で盗み見した横顔、そしてさっき自分の脳裏をフラッシュバックしたイメージと重なる。

——あそこがあなたが眠っていた未来医学探究センターです。

新幹線の車中で聞いた優しい声が鮮やかに甦《よみがえ》る。アッシは息苦しくなり、固く目をつむることで水槽の底に眠る涼子から意識をそらし、西野に尋ねる。

「僕は何をすればいいんですか？」

「この人のメンテナンスを受けるか、というオファーの結論は出たのかな」

「業務内容がわからないので保留します。できないのに引き受けるのは無責任なので」

「賢明な答えだけど、臆病《おくびょう》者の言い訳にも聞こえるな」

アッシはむっとした顔をしたが、すぐに気を取り直す。

「まず、僕の業務について教えてください」

西野は黒いソファに長々と足を投げ出して座る。そして顎《あご》で背後の本棚を指し示す。

「そんなもん、後ろの本を読めば、二、三日で把握できる。僕が聞きたかったのはイエスかノーかの答えだ。なのに保留とはね。水槽の底で、日比野さんが泣いてるよ」

「あなたは九歳の子どもに、苛酷《かこく》な判断をさせてるとは思わないの？」

翔子が助け舟を出すように言うと、西野はシニカルな微笑を浮かべる。

「この坊やが九歳だって？　身体の実年齢は十四歳だし、凍眠中の潜在学習によって知性は下手な大学生よりも上。そんなヤツがなんで九歳なんだ？　甘やかすのもほどほどにしな」

ぴしりと言われて、翔子は言い返そうとしたが、西野の強い視線が、翔子の反論の空虚さを浮き彫りにしてしまい、言葉を呑《の》み込んで黙り込む。

「あんたらは何にもわかっちゃいない。泣きたいのはこっちさ。あんたたちは涼子さんの足元にも及ばない。特に坊やには失望したよ」

西野はアルコールでふらつく足取りでモニタにたどりつく。キーボードを叩《たた》くと天井からモニタが降りてきて、PCモニタと同期する。

クリックすると、ビデオが流れ出す。右下に撮影日時のデータが流れる。

今からちょうど一ヶ月前の撮影だ。

次の瞬間、モニタ画面いっぱいに涼子のはにかんだ微笑が浮かびあがった。長くて艶《つや》やかだった黒髪はショートに切りつめられている。青いガウンを羽織っているのが、まるでイヴニング・ドレスのように華やかに見える。アッシと翔子は息を呑む。

ビデオの中から涼しい声で、予期せぬ観客への挨拶《あいさつ》が響いた。

「ええ、リスクは承知してます。西野さんを代理人に指名するなんて、狼の前に丸裸で立つ羊みたいなものですもの。でも仕方ないんです。他に選択肢がないんですから」

ビデオに姿を見せない西野の声が響く。

「ひどい言われようだね。ひょっとして、後悔してる？」

アッシがちらりと見ると、ソファに寝そべった西野は、目を閉じて口端にシニカルな微笑を浮かべている。画面の中の涼子は首を振る。

「いいえ。この後はどうなろうと、私にはもう関係ないんですから」

「日比野さんは本当のリスクが何なのか、わかっているみたいだね。言うまでもないけど、リバース・ヒポカンパスを作動させれば、目覚めた君は僕の奴隷になっているかもしれないよ」

涼子は嫣然《えんぜん》と微笑む。

「西野さんはそんなことはしません」

「なぜ断言できるんです？」

「あなたはプライドが高い人ですから」

西野は黙り込んだ。会話の真意はわからないが、図星だったらしい。

「で、坊やと保護者のお姉さんにはどうやって知らせるんですか？」

隣で翔子の眉《まゆ》がぴくりと上がる。自分を指していることを本能的に悟ったようだ。

アツシはひたすら目の前でつむがれる涼子の言葉に耳を傾けている。画面の中の涼子はうなずく。

「おふたりには、メールでお伝えします。私が眠った後に、もしもＩＭＤＡの審査が通ったというメールがきた場合には、想定して作った返信メールを送り返してください」

「追加オーダーですか。仕方ないなあ。それくらいなら、サービスしますけどね。それにしてもモルフェウス・システムを存続させるためだけにモルフェウス・システムを自ら選択するなんていうめちゃくちゃなアイディア、どうして思いついたんですか？」

涼子はうつむき小さく呟《つぶや》く。

「曾根崎教授から投げられた謎を解いたら、この結論にたどりついたんです。どうせ私は目覚めたモルフェウスと会えないから、この五年間の私は死んだも同然。それならモルフェウス・システムでリセットすれば、私も生まれ変わることができる。石二鳥の思いつきだと思ったんです」

なるほど、と西野が呟く。高感度のマイクは、西野との会話からこぼれた、囁《ささや》きのような涼子の呟きを拾い上げる。

――でないと、苦しくて死にそうなの。

西野は涼子の呟きが聞こえず、トンチンカンな受け答えをする。

「他の男への熱い想いを聞かされる、片思いの僕の身にもなって欲しいものですね」

「大丈夫、西野さんは強い方ですから。それに五年後の私の未来は西野さんにお任せしてあるわけですし」

「五年後、目覚めたらその時は、君は僕のものになるってこと？」

いたずらっぽく笑う西野に、涼子は穏やかな笑顔で答える。

「ご存じのくせに。すべては西野さん次第。そして私はそのことを知ることさえできない、ということを」

「そこまでわかってるなら、そろそろおしゃべりをやめて、肝心のことをやっつけようか。まあ、法律で決められたルールだから味気ない質問をするけど許してほしいな」

そう言うと西野は、いきなり無機質で事務的な口調になる。

「では、第一問。五年後、コールドスリープから目覚めた時、日比野涼子さんは以前と連続した人格を継承しますか。それとも別人格として生きていきますか」

涼子は真顔になり、画面のこちら側の西野を凝視する。やがて静かな声で答える。

「その判断は五年後の西野さんに委任します」

西野は意外そうな声をして言い返す。

「五年後、僕が代理人をしてるとは限らないよ。ほら、僕って気まぐれだからさ」

「でしたらこうします。五年後、佐々木君の問題が解消していれば、私は別人格として生まれ変わります。でも、もしも解消していなければ……」

涼子は黙り込む。長い沈黙。画面のこちら側から、西野の問いかけが時を急《せ》かす。

「解消していなければ？」

涼子は美しい笑顔で真っ正面をまっすぐに見つめ、静かに答えた。

「そのときは日比野涼子としてこの世界に戻ります。そして、モルフェウスは私が守る」

画面が止まり、沈黙が部屋に広がる。

西野がビデオを止めたのだ。

アッシは無言だった。翔子がアッシの横顔を見ると、その頬に一筋涙が流れていた。

アッシに向かって、西野は吐き捨てるように言う。

「わかったかい、坊や。涼子さんは、ただ君を守るため、それだけのためにコールドスリープを選択したんだよ。なのに君たちときたら……」

　翔子とアッシはすべてを理解した。涼子がスリーパーになれば、時限立法の〝人工凍眠法〟は自動更新される。そうすると初代スリーパーの凍眠中のデータも無法地帯からレスキューされる。

　そう、すべてはアッシのためだった。わかってしまえば単純なストーリーだ。だが、そんな話を聞かされて、一体誰がすぐに信じられるというのだろう。アッシと翔子は呆然《ぼうぜん》と立ちすくむ。

　巨大なモニタにストップモーションとなった涼子の微笑が映し出され、二人を見つめている。それは涼子の行為のように無償で、無欲で、そして無垢《むく》な微笑だった。

　アッシは黙って西野の言葉を背中で聞いていた。やがて何かを呟くと立ち上がり、銀色の水槽に歩み寄る。そして水槽を抱きしめる。

　しばらくそうして動かなかったが、やがて顔を上げると、西野に言い放つ。

「オファー、受けます。僕は今から、スリーパーのサポーターとして生きていく」

「そうこなくっちゃ」

　西野が両手を叩いて、陽気に言い放つ。

「それでこそ世紀の天才坊やだ。これで坊やはこの世界の神になるだろう」

「いい加減なことを言って、幼い子どもを惑わせないで」

「惑わせる、だって？　バカな」

翔子の鋭い非難に、西野は肩をすくめる。そして穏やかな口調で言う。

「坊やは世界初の人工凍眠システムの享受者であるばかりでなく、人類史上、スリーパーとサポーターの両方を経験する、初めての人物になる。そんな人物は、もう二度と現れないだろう」

西野はアッシをまっすぐ見つめる。

「モルフェウス・システムの新たなる時代の幕開けにあたり、嚆矢《こうし》の人物が特異点として自分の未来を選び取ったことは祝福される宿命だ」

その言葉からはここまで西野が会話の端々に漂わせていた傲慢《ごうまん》で軽薄な響きは消え失《う》せていた。アッシと翔子は、厳かな西野の言葉に耳を傾ける。その中身はまったく理解できない。

だがふたりには西野が何かを確信している、ということだけはわかった。

アッシは西野の言葉を聞きながら、その間ずっと銀色の棺《ひつぎ》を見つめ続けていた。


以後は事務的な打ち合わせに終始した。モルフェウス・システムの円滑な移行のため、アッシはセンターに住み込むことにした。ちょうど五年間の涼子と相似形の暮らしになるだろう。

そしてそれは半年後から、とした。しばらくは『サイクロピアン・ライオン』の投薬で入院を要するからだ。その間は西野が涼子のメンテナンスを続けることになった。

アッシと翔子は、来た時と正反対の表情で、西野に向かって深々とお辞儀をした。そしてふたりは肩を寄せ合うようにして、部屋を出ていった。


モルフェウスとひかりの女神を見送った後、黒ずくめのマニッシュ・リーパーは地下室に降りていく。水槽に歩み寄ると、純白のボディスーツをぴったり着込んだ眠り姫《モルフェエンヌ》に声を掛ける。

「この結末はお気に召したかなあ、それとも死ぬほど後悔してるのかな」

水底から返事はない。西野は沈んだ口調で続ける。

「そもそも君が僕にすべてを委託するなんて挑発的なことをするもんだから、こんなことになってしまったんだよ」

恨みがましいセリフとは裏腹に、西野の表情は清々《すがすが》しい。

「そう、君はやりすぎた。僕をここまでこっぴどく叩《たた》きのめしたのは長い人生の中でもふたりだけ。日比野涼子さん、今、僕の目の前の水槽で眠りに就いている君と、君に導かれて僕の前に現れたステルス・シンイチロウだけだ。僕は平和主義者だけど、さすがにここまでナメられては黙っていられない」

西野は神殿の祭壇から降りると再びモニタの前に座り、キーボードを叩く。短いメールを送信するとため息をついた。

「おかげでしばらくは退屈しないで済みそうだ。システム開発者として僕はしばらく、規制者となる曾根崎教授とダンスを踊ってみるよ。なかなか歯ごたえがあるからね。そして君は、君が望まなかったけれど、本当は渇仰していたサポーターの手で、生命を維持される。ま、それは僕なりの復讐《ふくしゅう》でもあり、ささやかな思いやりでもあるわけだ」

西野はテーブルの上のボトルを一気にあおると咳《せ》き込んだ。そしてひとことふたこと何かを吐き捨てると、中断したビデオを再生する。

一ヶ月前の西野の声が部屋中に響く。

「ほかに、言い残したいことはありませんか」

正規の手続きの質問だ。涼子は答える。

「今申し上げたことの他に、言い残しておくことはありません」

「じゃあこれで正式な手続きは終了します。次はいよいよ、コールドスリープの導入に移ろう」

「ビデオは回し続けるんですか？　そんな規則ではなかったと思うんですけど」

「涼子さんのストリップを保存して、後で鑑賞するんですよ」

画面の外側で、涼子は西野をにらんだに違いない。生真面目な抗議の沈黙に耐えかねたかのように西野が軽口を叩く。

「冗談、冗談。ほら、カメラは固定されてるでしょ？　単に会話を録音しているだけですから、余計な心配はしないで、さあ、早く着替えて」

陽気な西野の声に促された涼子の衣擦《きぬず》れの音が響く。静かに言う。

「こっちを見ないでね」

「了解」

さらさらと衣擦れの音。西野の陽気な声。

「姿が見えず音ばかり、というのも、なかなかそそられるね」

「……変態」

媚《こび》を含んだ声で応じる。一瞬ビデオの前にボディスーツ姿の涼子が現れる。慣れないショートヘアをしきりに撫《な》でつけている。

「身体の線がくっきりしすぎて恥ずかしいわ。何だかヌードみたい」

「そこだとビデオに映ってるよ」

涼子は狼を見つけたウサギのように、ぴょん、と画面から姿を消す。今の画面は消去して下さい、という涼子の訴えに、はいはい、と生返事をする西野の声が、ブランクの画面に響く。

「ここに横たわればいいのね」

返事はないが、涼子の声が続く。

「冷たいわ。こんな中でひとりぼっちで五年も眠っていたのね。怖かったでしょうね」

涼子の声は電子変換され、スピーカーを通じて部屋全体に響きわたる。いつしか、この部屋はゆりかごとなり、涼子に包まれているかのような錯覚に捉《とら》われる。

モニタの中の西野は、何か言わなければ、涼子の意志に呑《の》み込まれてしまう、という理由のない恐怖にかられる。

気がつくと西野は、他愛もない言葉を口にしていた。

「怖いの、涼子さん?」

電子音が部屋の感情を代弁するかのように、涼子の声がエコーを引いて響く。

「ううん、私は平気。だってもうじき死ぬんだもの。さよなら、私の記憶」

「どうなるかわからないさ。五年後、あの坊やは問題を抱えたままかもしれないし」

「さっきはああ言ったけど、その可能性は低いわ。お渡しした指示書通りにしてくれればケリはつきます。曾根崎教授も外部から援護射撃をしてくれるはずだから」

「涼子さんは、女にしておくのがもったいないね。凍眠なんてやめて、僕のビジネスパートナーになってほしいよ」

「それは無理です。だってこれはすべて、私がコールドスリープを選択して初めて成立するシナリオですもの。こうしないとアツシ君の問題は解消しない。日本ってそういう国なの」

そして吐息のように呟《つぶや》く。

ああ、ここは深い海の底みたい……。

「今から筋弛《し》緩《かん》剤の注射をするからね」

そして西野は呟く。

「官僚ってヤツらは、法律の整合性は妙に気に病むくせに、肝心の人間やシステムの生命力に対しては全く鈍感な連中だからな。こんな注射一本にも、医師資格がどうこう言うもんだから、仕方なくこの僕自身が医学部卒業の資格を米国で取る羽目になっちゃうし。まったく、いい迷惑さ」

涼子が微笑を含んだ声で言う。

「だってそれだけが、あの人たちの生き甲斐《がい》なんですもの、仕方がないわ」

「だけど限定された局所で、あまりに精緻《せいち》なものを作り上げてしまうと、新しい生命が窒息させられてしまうんだけどなあ」

西野のため息混じりの言葉に、涼子の〝あ〟という小さな悲鳴が混じる。筋弛緩剤を注射されたのだろう。その後、沈黙が訪れた。

「もう少しでメディウムが肺胞に浸入し空気と入れ替わる。その瞬間、意識はシャットダウンするだろう。だからたぶんこれが最後の会話になるだろうけど、今から涼子さんに僕の素晴しいアイディアを伝えておこうと思うんだ」

「素晴しいアイディア？」

涼子は問い返すと小さく咳き込む。増幅された咳嗽《がいそう》は西野の鼓膜を引っかくように響いた。

どうやらいよいよメディウムが口元に達したようだ。

西野は続ける。

「たぶんこのアイディアは、涼子さんも気に入ってくれるはずさ。僕は涼子さんのサポーターを佐々木君にお願いしようと思ってるんだ」

「どうして？　それだけは止めて」

激しい咳き込みと共に、涼子の声が裏返り、部屋中に悲鳴が重層し、反響し、和音と不協和音を同時に奏でる。

銀の棺《ひつぎ》の内部をモニタしている画面の中、涼子は懸命に上半身を起こそうとしていた。だが、投与された筋弛緩剤が、全身に効き始めているせいか、かすかに首筋が動き、シヨートヘアが水流にゆらめいただけだった。

西野は力尽きたような涼子に向かって、勝ち誇ったように言う。

「でもビデオログでの正式な依頼はなかった。だからこれは合法的対応なんだ」

間断のない咳《せき》ととぎれとぎれの言葉が入り交じる。

「……忘れ、よう、と思った、の……に」

西野は冷たく言い放つ。

「君は忘れるかもしれない。でもモルフェウスは君を忘れない。これこそ涼子さんの本当の望みなんだよね？」

「違う。そん……な、こと……望んでな、んか……」

ごぼっと再び咳き込み、涼子の声がとぎれた。西野の声が響く。

「君たちふたりは断ち難い螺旋《らせん》の中、永遠に輪廻《りんね》を続けるだろう。はじめは少年の時が止まり、君が側に佇《たたず》んでいた。そして今度は君が時を止め、青年となったモルフェウスは君の背丈をいつしか追い越していく……」

西野は遠い目をした。それから微笑を浮かべて続ける。

「そうだ、涼子さんにもうひとつ謝らなければならないことがあったんだ。クライアントの君の判断、リバース・ヒポカンパスのデリート、実はあれ、実行しなかったんだ。それだけじゃなくてね、坊やの目覚め前にちょっとだけ使ってみたんだ。ママの記憶領域の一部を削除《デリート》し、小さな空白の記憶空間を作ってそこにひとひらの情報を刷り込んだ。それが何だか、わかるかな」

西野の問いかけに、もはや涼子の答えはない。西野はひとり喋《しゃべ》り続ける。

「僕の芸術的傑作、酔った時の君の本当の笑顔の写真さ。モルフェウスの脳髄の片隅に刷り込まれたその笑顔が、これから先のふたりの未来にどんな影響を及ぼすか、それは僕にもわからない。でも、僕は確信してる。僕の選択は絶対に正しいってことを、ね」

涼子からの返事はない。メディウムの海底に沈み、深い眠りについてしまったのだろうか。

西野はメディウムに充《み》たされつつある水槽を凝視する。

涼子の返事はない。

だが、西野は確信していた。

西野の言葉は必ず涼子に届いている、ということを。

西野の言葉は、眠っている涼子の脳梁《のうりょう》で円環を描き続けることだろう。始まりと終わりのない観覧車《フェリス・ホイール》は明るい陽射しの中、モルフェウスと涼子を乗せて永遠に回り続ける。そして無限回転の中、ふたりの境界線は消失していく。

涼子の中では、西野の言葉と涼子の決意が繰り返し再生され、螺旋を描きながら、無限上昇を続ける。そして、その言葉の渦は涼子の一部になっていく。

たぶん人は、それを真実と呼ぶのだろう。

棺の海の外側では、涼子の笑顔が、彼女にかしずくモルフェウスの脳裏に刷り込まれ、日々新たに更新されていく。そして、豊穣《ほうじょう》な眠りの海の底から小さな気泡がひとつ、ぽかりと浮かび上がるたびに、小さな記憶がひとつ、失われていく。

そして……。

冷たい海底で、深い眠りにたどりついた美しい横顔は、静寂《しじま》の中で沈黙する。

解説

杉江松恋

致命的なシステムエラーが発生しました。

大事な作業の途中にそんなメッセージが出て、目の前のコンピューターが強制終了されそうになったとする。そんなときに「ちょっと待ったー」と言いながら救いの手が差し伸べられたら、あなたはどう感じるだろうか。嬉《うれ》しくなって抱きついてしまう？　さもありなん。海堂尊はその「ちょっと待ったー」を描く作家なのである。現役医師の小説家というプロフィールがデビュー当時は話題になったが、私がすごいと思うのはそこだな。しかたないなー、と誰もが思っていることに対して手を挙げまくっているわけだもの。

海堂がなんとかしようとしているシステムエラーとは、この日本そのものだと言ってもいい。エラーが出ているのは明白なのに、誰もが手をこまねいていて何もしようとしない。そうしたものに対して海堂は手を挙げて飛び込んでいくのである。

海堂がデビュー作『チーム・バチスタの栄光』（二〇〇六年。宝島社→現・宝島社文庫）でも言及したことによって一般にも知られるようになったのがＡｉ、死亡時画像診断という概念だ。二〇〇七年に発表した啓蒙書《けいもう》『死因不明社会』（講談社ブルーバックス）で海堂は病理学の発展と閉鎖的な医療行政を解放する切り札としてA・iの必要性を説いている。こうした活動以前は、「死因不明社会」という問題の存在自体一般ではまったく共有されていなかった。それを執筆活動で可視化したのは、大きな功績である。この他にも地方医療が直面する問題を書いた『極北クレイマー』（二〇〇九年。朝日新聞出版→現・朝日文庫）、代理母出産を主題とした『ジーン・ワルツ』（二〇〇八年。新潮社→現・新潮文庫）など「システムエラー」の存在を白日の下に曝《さら》すという機能を持った作品は多く、しかもそれらには共通項の存在が匂わされているのである。海堂作品を読んだ後で視界が明瞭《めいりょう》になったかのような感覚を持った方は多いのではないだろうか。海堂は通り過ぎた後の場所を、いつも見晴らしがよいものに変えていってくれる。

この『モルフェウスの領域』という作品にも、そうした清々《すがすが》しい感じがある。

小説は「凍眠」と「覚醒」の二部構成になっている。冒頭に登場するのは日比野涼子という女性だ。彼女は桜宮市（海堂作品の主舞台の一つである架空の地方都市）に設立された未来医学探究センター地下一階の、唯一の職員である。たったひとりの職員であり、しかも住み込みで働いているが、身分は非常勤だ。というのも、彼女の業務はまったく普遍性がない、イレギュラーそのものといっていい性格のものだからである。この施設は別名を「コールドスリープ・センター」といい、冷凍睡眠状態にあるひとりの人物を保護し、管理するためだけに存在している。

その被験者（スリーパー）は、五歳のときに網膜芽腫《もうまくがしゅ》（レティノブラストーマ）と診断され、右眼の摘出手術を受けた。しかし快癒とはほど遠く、いずれは左眼も同様の摘出手術が必要となるという可能性が指摘されたのである。しかしわずかながら希望はあった。未来においては網膜芽腫を克服する医療技術が確立されるかもしれない。可能性に賭《か》け、スリーパーは五年のコールドスリープ（凍眠）に就いたのである。その世話役として雇われたのが涼子というわけだった。彼女はスリーパーをモルフェウス（ギリシャ神話に登場する夢の神）と呼び、来るべき目覚めのための準備を粛々と続けていく。

本書における「システムエラー」は「凍眠八則」として定義された法律の形で提示される。ひとりの人間をコールドスリープ状態のままに留《とど》めるという異例の事態に際して国会が成立させてしまった法律は、極めて非人間的な要素を含んだものだったのである。このままでは目覚めと同時にその存在が社会的に抹殺されてしまう危険性がある。その可能性に気づいた涼子は、モルフェウスのために立ち上がる。だが、彼女の前に立ちふさがったものはあまりに大きく、そして完璧《かんぺき》なまでの防御力を備えていたのである。

本作は初め月刊誌「野性時代」の二〇〇九年一月号から二〇一〇年十一月にかけて不定期に連載され、大幅改稿の上二〇一〇年十二月十五日に角川書店から単行本として刊行された。今回が初の文庫化である。

右に紹介したのが第一部にあたる「凍眠」を規定する状況設定の部分、涼子が脅威と感じた「凍眠八則」は第二部「覚醒」にも持ち越され、法律という枷《かせ》の下で動くことを登場人物たちは強制される。それを克服する策は、意外なところからもたらされるのだ。

一口で言ってしまえば、これは人を守るものであるはずの法律や制度が人を縛るものになったときにどうするかという物語である。それを所与のものとして諦《あきら》めるのか、人間は常に制度に従わなければならないのか。涼子たちの行動は、そういう問いを読者に投げかけたもののように読める。同様の形で制度と個人が対立する物語に、たとえば前出の『ジーン・ワルツ』があるが、本書にもかの作品との共通点が見出《みいだ》せる。個人を封殺するものに対して闘いを挑むのも、そして勝利を収めるのもやはり個人であるという点だ。ひとりの営為がいかに大きな結果を生み出せるものかということを本書は物語っている。

そういう意味では、勇気について書かれた作品であると言ってもいいだろう。

ところで、作者が自作解題を行っている楽しいファンブック『ジェネラル・ルージュの伝説』（宝島社文庫。二〇一〇年）には、本書成立の経緯が明かされている。事の発端は海堂の担当編集者のひとりが作品年表を作成していた際、作品間の事実関係を確認して「年代のつじつまがどうしても合わない」個所《かしょ》を発見したことであるという。

――いきあたりばったりで世界拡張と時間軸設定してるんだから、ここまでさしたる矛盾が生じなかったこと自体が奇蹟なんだ、と言おうとして、中身を聞いて真っ青に。

さすがに言い抜けが難しかった。（中略）そう、これは何としても書かなければならないモチーフ、というか、必然の物語、私の虚数空間のほころびを繕うための壮大なつじつま合わせなのである。

何が「つじつま合わせ」に当たるのかは、読者の発見の悦《よろこ》びを邪魔しないため曖昧《あいまい》なままにしておきたい。気になる人は東城大学医学部付属病院が主舞台となるシリーズの第二長篇『ナイチンゲールの沈黙』（宝島社。二〇〇六年→現・宝島社文庫）と海堂が二〇〇八年にヤングアダルト向けレーベルで発表した『医学のたまご』（理論社ミステリーYA！）を本書と併読されることをお勧めする。その三冊には共通して登場する人物がいる。その人物の設定をよくよく見れば……いや、これ以上は野暮になってしまうか。さらなる余談になるが『モルフェウスの領域』にはメールの文面だけという限られた出演の仕方にもかかわらず読者に強い印象を与える、曾根崎伸一郎という人物が登場する。実は彼は『医学のたまご』の主人公・薫の父親なのだ（そして同作でも彼はメールの中にしか出てこない）。

右のような「つじつま合わせ」を海堂が強いられたのは、彼が時空間を共有する一つの世界を使ってすべての作品を執筆し続けている作家だからである。だから必然的に『モルフェウスの領域』にも東城大学医学部付属病院の医師や看護師たちが顔を出し、ちょい役ではない重要な任務を担って物語の中で活躍することになる。また、この小説では不在であっても他の登場人物から逸話を語られる者もある。すでに『ジェネラル・ルージュの凱旋』（宝島社。二〇〇七年→現・宝島社文庫）を既読の方には蛇足の説明になるだろうが、東城大学医学部の医師である佐藤が「指示がないと動けない」研修医を見ると「チュッパチャップスを投げつけてやりたくな」ると語っているのは（本書154P）、かつて同大学病院の救命救急センター部長であった「血まみれ将軍《ジェネラル・ルージュ》」こと速水《はやみ》晃一《こういち》を念頭に置いて発言しているのである（別の個所で看護師長の如月翔子《きさらぎしょうこ》が聞く「受けろ」という「啓示のような声」の主も同じく速水だ）。

こうした挿話には、他の作品で描かれた「過去」と現在進行形で語られる「現在」とを自然に対比させるという効果がある。作中に散りばめられた先行作品の記憶が、現在の物語を補強するのである。こうした記憶の有効活用は、海堂作品が半ば中毒のような形で読者から支持される要因の一つでもある。読者は作品の隅に残されたものを拾い集めているうちに、「海堂尊」という世界全体が持つ奥行きや輝きに魅せられていってしまうのだ。そうした楽しみ方もファンにはこたえられない味である。

本書は、深く読み込んでいる海堂ファンにとっては、他の作品世界との接続点が多く、発見の悦びに満ちた小説だ。もちろん初見の読者が手にしたとしても、勇気の表し方という広い普遍性のある主題をぶつけてくる、なじみやすい物語として楽しむことができる。深く、そして広く、さまざまな方向へと『モルフォウスの領域』という作品は拡《ひろ》がっていっているのだ。すでに二〇一二年六月には本作の続篇にあたる長篇『アクアマリンの神殿』の連載が終了しており、近い将来の単行本化を控えた状態になっている（二〇一三年四月現在）。モルフェウスが読者に示してくれた視界にはこの先どのような光景が映ることになるのだろうか。

本書は二〇一〇年十二月、小社より刊行された
単行本を加筆修正し、文庫化したものです。

モルフェウスの領域《りょういき》

海堂《かいどう》 尊《たける》

平成25年 6月20日 初版発行
令和6年 11月25日 6版発行

発行者●山下直久

発行●株式会社KADOKAWA
〒102-8177 東京都千代田区富士見2-13-3
電話 0570-002-301(ナビダイヤル)

角川文庫 17956

印刷所●株式会社KADOKAWA
製本所●株式会社KADOKAWA

表紙画●和田三造

●お問い合わせ
https://www.kadokawa.co.jp/ (「お問い合わせ」へお進みください)
※内容によっては、お答えできない場合があります。
※サポートは日本国内のみとさせていただきます。
※Japanese text only

ISBN978-4-04-100830-0 C0193

角川文庫発刊に際して

角　川　源　義

第二次世界大戦の敗北は、軍事力の敗北であった以上に、私たちの若い文化力の敗退であった。私たちの文化が戦争に対して如何に無力であり、単なるあだ花に過ぎなかったかを、私たちは身を以て体験し痛感した。西洋近代文化の摂取にとって、明治以後八十年の歳月は決して短かすぎたとは言えない。にもかかわらず、近代文化の伝統を確立し、自由な批判と柔軟な良識に富む文化層として自らを形成することに私たちは失敗して来た。そしてこれは、各層への文化の普及滲透を任務とする出版人の責任でもあった。

一九四五年以来、私たちは再び振出しに戻り、第一歩から踏み出すことを余儀なくされた。これは大きな不幸ではあるが、反面、これまでの混沌・未熟・歪曲の中にあった我が国の文化に秩序と確たる基礎を齎らすためには絶好の機会でもある。角川書店は、このような祖国の文化的危機にあたり、微力をも顧みず再建の礎石たるべき抱負と決意とをもって出発したが、ここに創立以来の念願を果すべく角川文庫を発刊する。これまで刊行されたあらゆる全集叢書文庫類の長所と短所とを検討し、古今東西の不朽の典籍を、良心的編集のもとに、廉価に、そして書架にふさわしい美本として、多くのひとびとに提供しようとする。しかし私たちは徒らに百科全書的な知識のジレッタントを作ることを目的とせず、あくまで祖国の文化に秩序と再建への道を示し、この文庫を角川書店の栄ある事業として、今後永久に継続発展せしめ、学芸と教養との殿堂として大成せんことを期したい。多くの読書子の愛情ある忠言と支持とによって、この希望と抱負とを完遂せしめられんことを願う。

一九四九年五月三日

角川文庫ベストセラー

新装版 螺鈿迷宮　海堂 尊

輝天炎上　海堂 尊

アクアマリンの神殿　海堂 尊

医学のたまご　海堂 尊

氷獄　海堂 尊

「この病院、あまりにも人が死にすぎる」——終末医療の最先端施設として注目を集める桜宮病院。黒い噂のあるその病院に、東城大学の医学生・天馬が潜入した。だがそこでは、毎夜のように不審死が……。

碧翠院桜宮病院の事件から1年。医学生・天馬はゼミの課題で「日本の死因究明制度」を調べることに。やがて制度の矛盾に気づき始める。その頃、桜宮一族の生き残りが活動を始め……『螺鈿迷宮』の続編登場！

未来医学探究センターで暮らす佐々木アツシは、正体を隠して学園生活を送っていた。彼の業務は、センターで眠る、ある女性を見守ること。だが彼女の目覚めが近づくにつれ、少年は重大な決断を迫られる——。

曾根崎薫14歳。ごくフツーの中学生の彼が、ひょんなことから「日本一の天才少年」となり、東城大の医学部で研究することに！　だが驚きの大発見をしてしまい大騒動へ。医学研究の矛盾に直面したカオルは……。

手術室での殺人事件として世を震撼させた「バチスタ・スキャンダル」。新人弁護士・日高正義は、その被疑者の弁護人となった。黙秘する被疑者、死刑を目指す検察。そこで日高は——。表題作を含む全4篇。

角川文庫ベストセラー

青の炎
貴志祐介

秀一は湘南の高校に通う17歳。女手一つで家計を担う母と素直で明るい妹の三人暮らし。その平和な生活を乱す闖入者がいた。警察も法律も及ばず話し合いも成立しない相手を秀一は自ら殺害することを決意する。

硝子のハンマー
貴志祐介

日曜の昼下がり、株式上場を目前に、出社を余儀なくされた介護会社の役員たち。厳重なセキュリティ網を破り、自室で社長は撲殺された。凶器は？ 殺害方法は？ 推理作家協会賞に輝く本格ミステリ。

虚栄 (上)(下)
久坂部羊

診断から死亡まで二カ月。凶悪な「変異がん」が蔓延、政府はがん治療のエキスパートを結集、治療開発の国家プロジェクトを開始。手術か、抗がん剤か、放射線治療か、免疫療法か。しかしそれぞれの科は敵対し。

黒医
久坂部羊

「心の病気で働かないヤツは屑」と言われる社会。「高齢者優遇法」が施行され、死に物狂いで働く若者たち。こんな未来は厭ですか――？ 救いなき医療と社会の未来をブラックユーモアたっぷりに描く短篇集。

介護士K
久坂部羊

介護施設「アミカル蒲田」で入居者が転落死した。ルポライターの美和が虚言癖を持つ介護士・小柳の関与を疑うなか、第2、第3の事故が発生する――。介護現場の実態を通じて人の極限の倫理に迫る問題作。

角川文庫ベストセラー

切り裂きジャックの告白
刑事犬養隼人
中山七里

臓器をすべてくり抜かれた死体が発見された。やがてテレビ局に犯人から声明文が届く。いったい犯人の狙いは何か。さらに第二の事件が起こり……警視庁捜査一課の犬養が執念の捜査に乗り出す！

七色の毒
刑事犬養隼人
中山七里

次々と襲いかかるどんでん返しの嵐！『切り裂きジャックの告白』の犬養隼人刑事が、〝色〟にまつわる7つの怪事件に挑む。人間の悪意をえぐり出した、傑作ミステリ集！

ハーメルンの誘拐魔
刑事犬養隼人
中山七里

少女を狙った前代未聞の連続誘拐事件。身代金は合計70億円。捜査を進めるうちに、子宮頸がんワクチンにまつわる医療業界の闇が次第に明らかになっていき——。孤高の刑事が完全犯罪に挑む！

ドクター・デスの遺産
刑事犬養隼人
中山七里

死ぬ権利を与えてくれ——。安らかな死をもたらす白衣の訪問者は、聖人か、悪魔か。警視庁VS闇の医師、極限の頭脳戦が幕を開ける。安楽死の闇と向き合った警察医療ミステリ！

ナミヤ雑貨店の奇蹟
東野圭吾

あらゆる悩み相談に乗る不思議な雑貨店。そこに集う、人生最大の岐路に立った人たち。過去と現在を超えて温かな手紙交換がはじまる……張り巡らされた伏線が奇蹟のように繋がり合う、心ふるわす物語。

角川文庫ベストセラー

ラプラスの魔女　東野圭吾

遠く離れた2つの温泉地で硫化水素中毒による死亡事故が起きた。調査に赴いた地球化学研究者・青江は、双方の現場で謎の娘を目撃する――。東野圭吾が小説の常識をくつがえして挑んだ、空想科学ミステリ！

魔力の胎動　東野圭吾

彼女には、物理現象を見事に言い当てる、不思議な"力"があった。彼女によって、悩める人たちが救われていく……東野圭吾が小説の常識を覆した衝撃のミステリ『ラプラスの魔女』につながる希望の物語。

蟻の菜園 ―アントガーデン―　柚月裕子

結婚詐欺容疑で介護士の冬香が逮捕された。婚活サイトで知り合った複数の男性が亡くなっていたのだ。美貌の冬香に関心を抱いたライターの由美が事件を追うと、冬香の意外な過去と素顔が明らかになり……。

臨床真理　柚月裕子

臨床心理士・佐久間美帆が担当した青年・藤木司は、人の感情が色でわかる「共感覚」を持っていた……美帆は友人の警察官と共に、少女の死の真相に迫る！著者のすべてが詰まった鮮烈なデビュー作！

最後の証人　柚月裕子

弁護士・佐方貞人がホテル刺殺事件を担当することに。被告人の有罪が濃厚だと思われたが、佐方は事件の裏に隠された真相を手繰り寄せていく。やがて7年前に起きたある交通事故との関連が明らかになり……。